ISBN 978-0-282-13807-3
PIBN 10593140

# Friedrich Müllers,

Königl. Bayerischen Hofmahlers,

# Werke.

Mahler Müllers

# Werke.

---



Zweiter Band.

Heidelberg,
bey J. C. B. Mohr.
1825.

# Inhalt des zweyten Bandes.

Seite

Fausts Leben. . . . . . . . . 1
Situation aus Fausts Leben. . . . . . 165
Die Pfalzgräfin Genovefa. . . . . . 189
Niobe. . . . . . . . . . 209

## G e d i c h t e.

### Erstes Buch.

Der Riese Rodan. . . . . . . 309
Lied eines bluttrunknen Wodanadlers. . . 318
Der rasende Geldar. . . . . . . 319
Das braune Fräulein. . . . . . . 322
Anna von Trauteneck bey Ritter Golos Grab. 338
Soldaten = Abschied. . . . . . . 339

### Zweytes Buch.

Gesang auf die Geburt des Bacchus. . . 344
Amor und Bacchus. . . . . . . 346

Seite
Dithyrambe. . . . . . . . . . 349
An die Taube der Venus. . . . . . 353
Lied. . . . . . . . . . . 354
Amor und seine Taube. . . . . . . 357
Amors Schlafstunde. . . . . . . 365
Die zwey Amorinen. . . . . . . 374
Die Trinkschaale. . . . . . . . 375
Aufschrift auf Amors Köcher. . . . 375
An Nemesis. . . . . . . . . . 376

## Drittes Buch.

Gemählde aus dem Sommer. . . . 379
Der schöne Tag. . . . . . . . 387
An den Frühling. . . . . . . . 389
Jägerlied. . . . . . . . . . 392
Freudenlied. . . . . . . . . . 396
Musarion. . . . . . . . . . 399
Die Erle und die Ceder. . . . . . 401
Orpheus Klopstock. . . . . . . 403
An die Liebesgötter. . . . . . . 406
Natur. . . . . . . . . . . 409

# Fausts Leben,

## Fragment.

# Zuschrift
## an
# Otto Freyherrn von Gemmingen.

---

Wer doch so da sitzen und sein Luftschlößchen gemächlich nach Herzens-Gefallen ausbauen kann! Es thut einem wohl in der Seele, drängt einen oft ganze Stunden wie nach Schlaf, daß man sich's endlich nicht länger mehr erwehren kann, wenn Moment und Lage so recht die Phantasie dazu anregt. Wir sollen und müssen eben oft hinaus, wenigstens mit unserm Herzen, in die Fremde. Es gehört mit zu unserm Wesen, wie die Bienen über Thal und Auen die Schöpfung zu durchwandern, um tausend neue Schätze zu finden, wo die Liebe mit allmächtiger Ruthe anschlägt; nicht immer mit dem Gedanken an einem Heerd zu hausen, wär's auch nur dann und wann, Bewegung und Ausbruch der Gluth zu geben, die sonst auf eins verschlossen unser Herz endlich ganz verzehrte. Fühlten wir doch oft süßen Drang, Theuerster, zum Schaffen; und mit welchem Entzücken legten wir Zauberstab und Bleymaß wieder hin und freuten uns der vollendeten Schöpfung, freuten uns der Erhohlung darnach, wenn die verschlossne Seele, durch Imagination geöffnet, behaglich ihrer Fülle entließ, wie nach segenreichem Gewitter, das in üppigem Umfangen die lechzende Natur wieder erquickt. Neu gestärkt dann, Unsterblichen gleich, sprangen wir in Ihren Heldenwagen, gastfrey und bieder Sie, ein andrer Odysseus, den Zügel ergreifend, die zwey braunen, stolz wiehernden Halbgöttinnen voran zu jagen, die ihrer Kraft wegen mir so lieb sind. Leben, du bist süß! Jeglichem süß, welcher als Mensch dich genießt, des angestammten Rechts fühlt, daß Alles unter der Sonnen meiner Freude gegeben! Voran ging's dann immer im Sturm, an Wasser und Wald, Steg und Hecken jetzt vorüber, dem Flug erhitzter Jugend-Phantasie nach, die taumelnd sich stolzerer, hoffnungsvollerer Zukunft entgegen schwingt. Man glaubt schneller zu schweben hinein in die Zeit. Dann und dann, was fällt einem nicht Alles ein! Erste Liebe, erste Freundschaft, erste Lieblings-Ideen, erstes Wonne-Gefühl an der Natur! Dann spiegelt sich noch einmahl alles vergangne Herrliche durch die Seele zurück und paaret sich mit den Hoffnungen der Zukunft; die erzeugten Kinder sind schwärmerische Träume, die Herz und Seele eine Zeit lang in wollüstigem Schlummer wiegen.

Nehmen Sie, was ich hier gebe, rein, wie es aus meinem Herzen sprang; das Stück eines Dinges, das in meiner Jugend mich oft froh und schauerlich gemacht, mich bald erschreckt und entzückt und doch immer das Spielwerk meiner Imagination blieb; entschossen jetzt der Baum mit Ranken und Blättern dem Körnchen, das einst mit Taubenmund meine Amme den Schoos herab mir zugelullt: Kindermärchen, das sich zuerst in meiner Jugend-Phantasie befing, mit mir ins stärkere Leben wuchs, fest gehalten von dem Herzen, wie ein Fels, den die Klaue der Eiche packt. Was ist's geworden? Ihrem Blick' überlass' ich das; mir war's oft Leitfaden, an dem ich in die Vergangenheit wieder zurück schlich, wenn es mir in der Heutigkeit nicht besser gefiel, und das ist doch wohl nicht wenig; und wem kann und darf es auch mehr seyn als mir! Gedanken der Liebe sind immer die Vorläufer des Künstlers; wir entzücken uns lange an einem Wesen, ehe wir es schildern und schreiben; wir kosen ihm und herzen und sparen es bis zum süßesten Moment. Oft ist uns nach langem Streben die Ueberzeugung schon genug, gewiß durchzudringen, wenn wir jetzt wollten; wir befriedigen uns am vollen Gefühl unsers Vermögens und lassen's stehen, wie's steht. Was dacht' ich, jemahls einen Faust nieder zu schreiben! Das Erzählen, das Nachdenken über einen Mann, der mir gefiel, die Begierde, ihn gegen Alle zu vertheidigen, die ihn unrecht nahmen, ihn als einen boshaften oder kleinen Menschen in die Rumpelkammer herab stießen, das Zurechtrücken in ein vortheilhafteres Licht, brütet allmählig mit mütterlicher Wärme an. Wir sehen das Ding vor uns entstehn und tragen Gewissen, es sogleich wieder der Vernichtung entgegensinken zu lassen. Eine Weile nehmen wir es gastfrey in unser Herz auf, und sitzt es einmahl da, so hat's gewonnen. Es ißt, trinkt, träumt, lebt, nährt sich in uns, es steigt und wächst in uns und ruht nicht, bis es zur Welt kommt. Und siehe da, aus Scherz wird endlich Ernst, der Lebhafteste kriecht und kriecht und trägt sich und versagt sich und kann doch nicht anders und muß endlich in sein Nestchen, wo er nach Herzensgefallen bequemer gebähren kann. Ist das Kind einmahl völlig zur Welt, was will man thun, wer fühlt dann nicht Vater-, Mutterpflicht? Alles, was man an- und aufbringen kann, wird daran gehängt und gewendet, das Närrchen wo möglich in die Welt honett auszustaffiren.

So entsprangen Genovefa und dieser Faust. Lessing und Göthe arbeiten beyde an einem Faust; ich wußte es nicht, damahls noch nicht, als der meinige zum Niederschreiben mir interessant wurde. Faust war in meiner Kindheit immer einer meiner Lieblingshelden, weil ich ihn gleich für einen großen Menschen nahm; einen Menschen, der alle seine Kraft gefühlt, gefühlt den Zügel, den Glück und Schicksal ihm anhielt, den er gern zerbrechen wollt' und Mittel und Wege sucht; der Muth genug hat, Alles nieder zu werfen, was ihm in Weg tritt und ihn verhindern will, Wärme genug in seinem Busen trägt, sich in Liebe an einen Teufel zu hängen, der ihm offen und vertraulich entgegen tritt. Das Emporschwingen so hoch als möglich, ganz zu seyn, was man fühlt, daß man seyn könnte — es liegt doch so ganz in der Natur! Auch das Murren gegen Schicksal und Welt, die uns niederdrängt und unser edles selbstständiges Wesen, unsern handelnden Willen durch Conventionen niederbeugt. Die erste oberste Sprosse auf der Leiter des Ruhms, der Ehre, zu besteigen, wer wagt nicht darnach? Wo ist das niedrige dultende Geschöpf, das, immer gleichgültig, aus der Tiefe nicht einmahl in Gedanken hinaufwärts wünscht? Nicht fliegen wollte, wenn einer Flügel ihm gäbe, nicht steigen wollte, hüb' ihn einer auf allmächtigen Armen empor? Der freywillig resignirte, sich an seiner Niedrigkeit weidete, lieber das Letzte vor dem Ersten wählte? Ich habe keinen Sinn für solch ein Geschöpf; seh's als irgend ein Monstrum an, das unzeitig dem Schoos der Natur entging und an das sie auch keinen Anspruch weiter macht. Was Wunder denn, wenn der starke, kräftige Mensch sein Recht nimmt und wenn auch sein Muth ihn über die Welt hinaus treibt, ein Wesen zu suchen, das ihm ganz genüge? Es gibt Momente im Leben, wer erfährt das nicht, hat's nicht schon tausendmahl erfahren, wo das Herz sich selbst überspringt, wo der herrlichste, beste Mensch, trotz Gerechtigkeit und Gesetzen, absolut über sich selbst hinaus begehrt.

Von dieser Seite griff ich meinen Faust. Sie wissen am Besten, Theuerster, was für Wege ich genommen, wonach ich eigentlich gezielt. Die Fortsetzung wird schnell oder langsam folgen, so wie mir Lust zum Ausrunden wird. Sollte ich in Italien sterben, wird man alle meine Papiere Ihnen einhändigen und Sie mögen sich hernach der rückgelassenen Waisen annehmen, wie Sie es für gut finden. Ihnen allein sind alle meine Ideen klar. Dieß wäre Alles, was ich hier zu sagen hätte.

Jetzt leben Sie wohl und verzeihn Sie mir diese Plauderey. Ich hoffe unsern vortrefflichen Dalberg diesen Mittag in Ihrer Halle zu treffen. Wie wär' es, wenn wir gegen Abend durch Neckarau am Rhein hinpilgten? So in Ihrer und Ossians Gesellschaft, köstlich! Wir ließen die Sonne vor uns hinter das Rhein-Gebirge hinabsteigen, sähen den Mond dann die silberne Fluth heraufwandeln, uns in die Zeiten der Helden zurück zu winken; aber da müßten Sie mir auch versprechen, nicht mit einem Wörtchen zu gedenken, daß es heut zu Tage noch Leutchen gebe, die ihr buntes Pfeifengequäck dem blitzerhellten Nachtgesange des blinden Königs der Lieder anzuflicken suchen; sonst bin ich auf einmahl für Alles verdorben.

Mitternacht. Sturm. Ruine einer verfallnen, mit Schutt überwachsnen gothischen Kirche.

**Berlicki, Vizlipuzli** (zwey Teufel).

**Berlicki.**

Willkommen, Hofspaßmacher!

**Vizlipuzli.**

Doctor, wir geben immer einander die Hände. Willkommen, willkommen! Riß euch dieser gräuliche Sturm aus der Hölle los, Vetter, oder hat eure Alte euch herauf gebrummt?

**Berlicki.**

Bin ich nicht Lucifers Leibarzt, der jetzt diese Oberwelt mit visitirt?

**Vizlipuzli.**

Rüst' eine Weile ein Dutzend Pillen; unsre Könige sind in gewaltigem Zwist an einander. Lucifer ras't abscheulich vor Galle.

**Berlicki.**

Wie so?

Vizlipuzli.

Wird jetzt ausgemacht werden im allgemeinen Rath, ob diese Welt künftig noch Ansprüche an unsre Hölle machen darf. Wollen die Menschen fernerer Protection entziehn. Doctor, sprich bey Gelegenheit ein wenig für das Menschen-Völkchen; ist freylich jetzt verlegne Waare; machen einen aber doch manchmahl noch lachen, wenn sie so in ihrer Lechheit zu uns in die Hölle herab marschirt kommen.

Berlicki.

Hätt' auch ein Wort zu reden, he he he! Lucifer ist alt und hypochondrisch, das lange Sitzen auf seinem eisernen Stuhl bekommt ihm nicht wohl, Alles geht zu Grund, wenn ich ihn nicht restituir'. Sieht Alles so monstros um sich her. Hab' eine Weil' alte Bibliotheken durchfahren ... phu! was es drinnen staubig macht! — Um welche Stunde kommt Lucifer und der Rath zusammen?

Vizlipuzli.

Mitternacht. Horch! Hörst, wie sie lärmen? Moloch trennt sich von Lucifers Haufen; die Welt behagt dem lieblicher als jemahls. Mephistopheles, das Höllengenie, lacht und macht sich, kein Zeuge ihrer erhabnen Narrheit zu seyn, aus dem Staub weg.

Berckili.

Mephistophiles streicht schon lang über die Erde. Weißt du nicht, wohin er eigentlich seine Ausflucht nimmt?

Vizlipuzli.

Seit es hier oben so voll Genies wimmelt, bringt ihn nichts mehr hinab. Sitzt meistens zu Ingolstadt unter von Koth zusammengeblasnen Erdhalunken, haselirt da breit in den Tag hinein; werden noch All' durch ihn in besondern Respect unter den übrigen Weltkindern gerathen.

Berlicki.

Pfui! Pfui doch! So sich auch degradiren! Horch, Lucifers Trompete! Der Sturm war es, der dort die nasse Felsenwand herunterheult. Lieb ist mir's, daß sich der König ärgert, da kollert sein Blut ein wenig auf, sonst gefriert's. Was wollt' ich doch sagen? Wie? In Ingolstadt als ein schwärmender Bruder also?

Vizlipuzli.

Ja, ja! Hat sich dort eines Doctors wegen zum Fuchs erklären lassen, trägt Kragen und Federkappe, einen eisernen Degen und steife Handschuh, trotz einem Renommisten, bringt nachher auch Ständchen vor Marcibillens Kammerfenster, als Jungfern-Knecht, kurz taucht sich ganz in den Menschen hinein, ihn desto richtiger zu studiren. Haben künftig viel von ihm zu hoffen, wenn er so fortfährt; wird traun bey Bier und Tobak unterm pro und contra fideler lieber Consorten der Höll' ein neu Gesetzbuch schmieden, wo allemahl das Pflaster für jeden Staatsbruch probatum vorher dictirt steht.

Berlicki.

Was das Leutchen sind! Genie und Genie! Man verliert allen Respect mit ihnen. Was ist's denn für ein Laffe von Doctor, an den er uns alle prostituirt? Kennt ihr ihn? Bin einmahl einem um Mitternacht erschienen, mit dem Baretchen auf dem Haupte und Stäblein in der Hand, unter der Gestalt des Hippocrates, aber der hudelte mich infam. 's war einer von den Naturalisten, die nichts auf Systeme zählen, ein boshafter, liederlicher, ausgelassner Bube, der aller gelehrsamen Gründlichkeit Hohn sprach; aber ich gab ihm wieder dafür; plagt' ihn wie den Job, schlug ihn für sein ungesittetes Nasenrümpfen mit Aussatz, salbt' ihn mit Gestank, regnete Eiterbeulen über seinen Leib, bis er vor den Schwellen eines Klosters erlag, selbst mildester Barmherzigkeit zum Ekel. Aber kurz darauf verlor ich ihn wieder aus den Augen, sah ihn bald im seidnen Gewand beräuchert und muthvoll wieder einherstrotzen, die goldne Kette um den Hals. Ihm starb, sagt Mogol, sein Vetter, ein reicher Filz, und setzte ihn allein zum Erben aller zusammengescharrten Schätze ein, die er verpraßt. Da knirscht' ich mit den Zähnen! Der Erznarr Mephistopheles hat ihn mit Gewalt meiner Rache entzogen. Wenn's der ist, wohlan, so laßt ihn hinabkommen; hi hi hi! Eher wollt' ich dem Erzengel verzeihn, der mir die Donnerwunde in die Stirn schlug, als dem jungen Gelbschnabel seine Stiche.

Vizlipuzli.

Hörst? Hörst?

(Posaunenschall)

Berlicki.

Die Sterne des Mitternacht-Himmels blinken hell herunter. Der König kommt schon. Sieh, Pferdtoll, der Zerstörer, voran.

Pferdtoll.

Uh! Uh! Uh! Vermaledeytes Licht! Schatten unter mir! Ueber mich! Schatten, kühlen, schwarzen Schatten!

Vizlipuzli.

Bruder, hat dir ein Mondstrahl das Hirn gespalten? Hier steht der Doctor, dich zu verbinden.

Berlicki.

Leih ihm deine Kappe zum Hirndrücken, die ist von je eines zerbrochenen Schädels gewohnt.

Mogol (tritt auf).

Aus dem Weg! Der König! Der König!

Vizlipuzli.

Wie der so steif hingeht, der Scharrer und Schrapper! Friß ihm nichts, Wind, von seinem Kleid, saug' ihn nicht an, Luft! Schnaust aus Geiz nur halber.

Berlicki.

Hörst, da kommt ein Andrer; kenn' den schon am Husten. Mehu, der Melancholiker! Den Kerl purgir' ich ab! Mache an dem alle meine Experimente. Hörst! Kündigt sich immer mit Ach und Weh an; ihm ist wohl, wenn er seufzen kann; lechzt nach Gelegenheit, Unglück und Graus vorher zu spüren.

Mehu (keuchend).

Die Welt fällt morgen zusammen im Sturm, die Hölle zerbricht, wo wollen wir arme Teufel hin!

Vizlipuzli.

Der Bengel, sein Pfund so zu vergraben! Wie meynst, Doctor, wenn du seine Nieren hättest? Sieh, der Mahlerteufel Babillo.

(Posaunenklang, Geschrey)

Berlicki.

Still, Buben! Der König!

Vizlipuzli.

Deine Pillen! Sieh, blauroth vor Zorn sein königlich Gesicht. Die Gall ist ihm ins Blut geschossen!

(Lucifer von Satan, Atoti, Babillo, Cacal und einer großen Schaar andrer Geister begleitet, sitzt auf ein alt Epitaphium nieder, die zwey ersten knieen vor ihm, die andern liegen mit dem Angesicht zur Erde.)

Alle.

Macht und Ehre dem König der Hölle!

(Stehn auf)

Lucifer.

Die mir gefolgt, sind mein und tapfer; die andern Buben können ziehn, wohin sie wollen. Moloch soll sich verkriechen, wenn ich zu ihm hinab komme! Gefällt ihm diese Welt? Hi hi hi! Der Schuft, ihm solls nicht gefallen; will's nicht leiden. Wenn ich den schweren Zepter über ihn los donnre, rasseln soll er im Staub. Phu! Mein Athem, wie trocken! Doctor, stellt euch her neben mich. Phu! Daß die Welt nur in diesem einzigen Hauch versengte! Doctor, plagt mich gewaltig hier in der Hüfte!

(Berlicki fühlt bedächtlich den Puls.)

Berlicki.

Wollen euch was geben, das die Hitze niederschlägt.

Lucifer.

Was das ein Wesen, Satan, eine Welt! Die soll's seyn, woran wir Geister unsre Kräfte üben? Hohn! Ewiger Hohn! Du droben höhnst mich so. Meinen Narren her! Wo ist Vizlipuzli? Will ihn gleich mit allen Ansprüchen auf diese Welt belehnen. Mephistopheles!

Satan.

Blieb jenseits, da wir zurückkehrten, schwebt noch über der Welt.

Lucifer.

Dummkopf Moloch, mir zu widersprechen, dieß Rund erträglich zu finden. Will ihn auseinander reißen, Andern zum Exempel, sobald wir hinabkommen. Satan! Hundert und zweymahl hundert Jahre zum erstenmahl wieder in dieser Luft! Wie seitdem Alles ins Kleine auseinander gerollt! Dauert einen des Heraufsteigens. Die Hefe vom Menschengeschlecht!

Alle.

Hu! hu! hu! Haben doch wahr gesagt.

Lucifer.

Entnervt doch Alles vom Kleinsten bis zum Größten! Am Altar und im Freudenspiel schwächlich. Majestät sinkt unter ihrer eignen Kronen Last zu Boden; Minister und Courtisanen, Mahler und Poeten, Maitressen und Pfaffen, Alles zusammen gehängt in einen Pack, worauf marklose Erschlaffung lechzt: lohnt sich der Mühe nicht mehr, den Teufel unter diesen vermatschten Weltkindern zu spielen, die nicht 'mahl mehr volle Kraft zum Sündigen übrig haben.

Alle.

Den Stab gebrochen, die Hunde laufen gelassen, wohin sie wollen!

Vizlipuzli.

O bitt', bitt' für's arme Menschengeschlecht! Verstoßt's nicht ganz! Wo wollen denn die armen Narren sonst unterkommen, wenn ihr sie gar nicht mehr aufnehmt.

Satan.

Ha! ha! ha! Laßt Alles untereinander aufschießen wie Unkraut nach der Aerndte, wollen beym Dreschen schon schwingen und worfeln, daß der Staub in die Lüfte fliegt.

Lucifer.

Wären's noch starke Kerl, die uns mit ihren Tugenden zu schaffen machten oder ganze Schufte, angefüllt vom Wirbel in die Zehe herab von Mordsucht und Gift der Hölle, wie du, Christiern, Ruggieri, Nero, wackre Bursche! Wie heißt doch der brave Gesell, der den Nachtmahlwein vergiftet, dem's nicht ganz gelang? Ein Republikaner! Ein einziger solcher Schädel könnte mich gleich wieder mit diesem schalen Jahrhundert aussöhnen. Hab' ihm auch einen Stuhl neben meinen Thron gestellt, da er hinab kam; ein derber determinirter Bengel, bey dessen Ankunft die Höllenthore weiter auseinander fuhren, als jetzt bey einer ganzen Heerde solcher, die ich meinetwegen alle lieber dem Himmel vergönnen wollt'. Verdammt! Verflucht! Du Tartar-Chan aus China, stehst gleich einer ehernen Säule, überschattest drunten die ganze europäische Region! Vergessen wir nicht ganz unsere Existenz und Kraft, da wir länger uns mit solchen Dampfseelen hunzen, die weder für Himmel noch Hölle geschaffen sind!

Alle.

Die Thore verriegelt! Die können zur Noth sich in der Vorhölle behelfen. Verriegelt nur immer die innern Thore!

Lucifer.

Usurpiren der Braven Plätze; nicht wahr? Den Stab gebrochen, und dann fort! Was sagst, Mogol? He! Wie stehst du in deiner Beherrschung? Gib 'mahl Antwort.

Mogol.

Uebergüldete Armuth, meine Beherrschung! Da mein Gold sich in so viele kleine Kanäle jetzt verschleußt, findet selten sich ein Strom zusammen, lastbare Schiffe der Ueppigkeit empor zu tragen. Die Beutel sind Geckenköpfe geworden, die von aussen blinken und inwendig leer sind. Es zehrt der Wind an Narren Capitalien, frißt Quast' und Bort' von ihrem Leibe. Selten fällt eine blinkende Hauptsumme von Gewicht, als in Richterhände, auf's Aug' den Daumen zu drücken, der blinden Gerechtigkeit an der Nase zu zupfen, oder etwa in die Hände der Mutter, die ihrer Tochter Ehre dem Meistbiethenden Preis gibt.

Cacal.

Bruder, weg aus meinem Reich! Hier fängt meine Bestallung an, hi hi hi! Hab wohl manche Summa klingen gehört; aber das geht dich nichts an. Bin der Wollust-Herr, dem diese Welt am meisten dienet. Wem brennen Opfer, wie mir, von allen Ständen und Classen, von allem Alter, groß und klein, hoch und niedrig; und doch muß ich klagen, wenn ich Kirch' und Schulen, Gerichts- und Tanzplätze, Gefängnisse und Gastereyen durchschlupft, im Stillen und beym Gelärm, heimlich und öffentlich, bey Tag und Nacht, manche Tochter der Mutter entrissen, den Bruder gestellt, die Schwester dem Patron zuzuführen, dadurch ein Amt zu erschnappen; den Mann, die Frau: selten traf sich's, daß mir volle Sündenfreude ward. Die schwachen Hunde können's auch nicht einmahl genießen, wie es sich gehört.

### Lucifer.

Das Wurmgezücht! Still doch! Daß sie nur Alle in meinem Pfuhl drunten zerstäubten! Schaut, wenn ich einmahl aufgebracht das Steuerruder in die Hände nehme: lüften will ich, daß es bis in die Gestirne hinauf krachen soll! Ihr, Atoti, der Literatur-Teufel, wie geht's bei euch? Kein großer Kerl in eurer Beherrschung?

### Atoti.

Da kommt ihr an! Wenn Jener Schaafe nicht einmahl Scheerens werth, was soll ich zu meinen Schweinen sagen! Was mancherley Gewimmel und Getümmel, Geheckel und Gepäckel! Wie sie sich an einander halten, aus Interesse und aus Lobsucht Einer dem Andern den Steiß beleuchten! Einige tragen ihre Merk zeichen und Uniformen, an denen man sie vor Allen heraus erkennet, recht bunt auf einander hingekleckst; und wenn die sich unter einander Fänge geben, ist's nur Hätschel und Fätschel, wobey Keinem die Nase überläuft. Andre gehen immer gespornt und Kampfbereit wie die Hahnen; Andre, denen die Natur Klauen zum Kratzen versagt, zerschlagen sich jämmerlich selbst das Hirn und binden Splitter an die nackten Finger, auf Rechnung ihres Kopfs beklaut zu seyn. Einige, die gesehn, daß gesunde Kerl mit Karbatschen, und Bengel mit Kolben um sich herum Kröten und Füchse aus dem Wege schlagen, führen Strohhalme in den Armen, mit denen sie gewaltig durch die Straßen schwingen, immer schreyend von Kraft und Stärke, Sturm und Drang; schmähen über Pedanterey und Schulgelehrsamkeit, wollen alles schinden und zusammenhauen, was ihnen in Weg kommt, zu beweisen, daß auch Schwung in ihren Armen sitze. Andre rennen einander in Koth nieder, zu Aerger und Betrübniß der Tripelnden, die mit rothen Federn auf der Nase wie Papageyen einherschwänzen und vor übersanftem Gefühl zerschmelzen. Andre verstecken ihre Gesichter in Mäntel, sicher, der Namenrufenden Polizey zu entwischen, wenn sie dumme Streiche gemacht; diese halten sich gemeiniglich Schlucker im Sold, die für die Gebühr sie verehren und anbethen müssen. Dieß ist nun die leerste Spreu von Kerl, woran auch die langweiige Gedult sich zum Narren kaut, ohne ein Körnchen

Mark in ihuen aufzufinden; niedrige Buben, die Mutter Literatur die Schaam aufdecken, ohne einmahl selbst darüber zu erröthen; eine verfluchte Sorte, die aller gelehrten Abgötterey auf einmahl den Hals gebrochen. Mancher Gelbschnabel, der sonst sich gescheut, einem großen Mann in den Bart zu schauen, hält sich's jetzt für Pflicht, ihn unter die Nase zu prostituiren. Ho! ho! ho! Wo kommt's endlich hin? Die Alten erst! Die Alten!

Lucifer.

Mein Bauch springt auseinander! Donnerwetter, mach' fort! Daß du Hund glühend wärst!

Atoti.

Die Alten, das sind langweilige Narren; gehn meistens mit vollgestäubten Perücken gravitätisch einher wie Gänse, sprechen von lauter Solidität und Aechtheit; schöpfen immer aus reinen Quellen und trinken nicht, was nicht hundertfach geläutert ist, conveniren unter einander sich alle tiefe Ehrfurcht zu erzeigen und Einer dem Andern hohe Weisheit zuzutrauen, halten viel auf Wohlstand und Anstand und kränzeln einander die Eselsohren. Andre tragen ein Compendium von Politik und Philosophie in den Falten ihrer Stirne und ob sie gleich weder Oehl noch Docht im Lämpchen haben, heißen sie doch nicht minder wohl illuminirte Herren. Andre schwitzen am Drehbret, wollen neue Verfassungen und Sitten schnörkeln und mit einem

Hundsbein die Welt ausglätten; sehn nicht, wie ihr armer Geniunculus in Zügen liegt und Fieberimagination für Wahrheit hinträumt. Kurzum, wenn einer alle diese buntscheckigen Narren auf einer Brücke zusammenstellte, jeden so nach seiner Schattirung, es gäb' die groteskeste Perspective, die je die Hölle von unten hinauf gesehen. Tagtäglich aber unter ihnen zu weben und mit ihnen umzugehn, ist wirklich keines braven Teufels Spaß mehr! Die Schnecken abzuschleimen oder zu sehn, wie sich Jungen auf der Folter dehnen, große Kerl zu scheinen, und so lange spannen, bis Herz und Kopf verrückt, sich nicht mehr an einander befaßt, daß das arme Dunstgeripp bald vollends im Windhauch darüber hinstiebt!

Lucifer.

Schweig'! Das Facit: diese Welt keines Pfifferlings werth. Laßt uns den Stab auf hundert Jahre brechen! In die Hölle zurück! Treffen doch dort Qual an, unsrer würdig. Keinen einzigen großen Kerl mehr zu finden! Seht ihr, wohin das gekommen! Ein General-Banquerott! Der droben spottet, würdigt hinab unser edles, selbstständiges Wesen, Hüther und Zuchtmeister solchen Geziefers zu seyn. Wohin wird's noch kommen! Wohin, wohin, meine Geister! Den Zepter her! Mir schwillt die Galle, her! her! Will ihn an diesen Steinen zerschlagen.

Alle.

Babillo, der Mahlerteufel soll auch reden!

Lucifer.

Er soll. Sprich!

Babillo.

Um Vergebung, Majestät; seyd jetzt zu sehr im Gall-Auslassen. Von keinem Extremum aufs andre, wenn ich bitten darf; thut niemahls gut. König! Wenn ihr einmahl hautsatt zu lachen Lust habt, so laßt mich referiren. Es gibt wohl nirgend um schnackischere Gesellen als in meinem Reich; kein wohlgemutherer Teufel durch die ganze Höll' als ich. Macht Alles die Kunst! Amusir' mich den ganzen lieben langen Tag von Morgens früh bis in die sinkende Nacht. Nehmt herzhaft die Hälfte meines Salarii, wenn ihr wollt, nur laßt mir meine Junction. Was kümmert mich die übrige Welt, groß und klein? Seht sie an, wie ihr wollt; meine Bürschchen sind mir Alles, die tagtäglich so lustig Affenspiel mir besorgen und Caricaturen schneiden, daß ich manchmahl vor Lachen bersten möcht, ha! ha! ha! Will euch die Herrchen nächstens in einem Drama aufführen, wie sie unter einander stolpern, schleichen, hinken, ha! ha! ha! Sollt sie sehn, hören, ausrufen: das geht über alles! Ha! ha! ha! Majestät, das sind euch Leutchen, die die allerschiefste Imagination rechtfertigen, die Unwahrscheinlichkeit zur Wahrheit umstempeln und den allerkostbarsten Glauben in ein Hockenweib verwandeln, die zehn Wurf für einen Heller gibt, ha! ha! ha! Eine Race, die nur ganz und unvermischt für sich allein existiren darf, ha! ha! ha! Glaubt mir, es geht über alles, ha! ha! ha! Absonderlich von denen, die ihr Gewissen so im Zaum halten, daß es nicht einmal erschrickt, wenn man sie mit dem Namen Künstler brandmarkt; ha! ha! ha! Wie sie da sitzen in ihrer Glori, drauf lospfuschen, wie kleine Herrgöttchen, immer drauf hinauf, des großen Herrgotts Schöpfung zu prostituiren, ha! ha! ha! Wenn alle ihre Sünden einst angerechnet, alle die verkrüppelten, von ihnen in die Welt gesandten Kinder gegen sie an jenem Tage aufzeugen werden, alle schiefe Nasen sie anriechend, verzerrte Augen sie anschielend und krumme Mäuler sie anschnauzend, ha! ha! ha! rufen werden Ach und Weh über ihre Erschaffer: wie denen da die Haare über'm Kopf sausen werden, ha! ha! ha! Ihr könnt's nicht begreifen, mit was für Liebe und Ergetzen die Hunde sich abmartern, ha! ha! ha! sich Gewalt anthun, das, was so natürlich grad vor ihnen dasteht, mit Mühe krumm zu finden, und wenn sie's endlich gefunden, sich so herzinniglich drüber freuen, daß, wenn ihr's sähet, Herr König, und Kenner und Liebhaber genug wäret, so recht in's Detail hinein zu gehen, ha! ha! ha! ihr lüstern würdet, auszufahren von euerm eisernen Thron, in den Leib eines solchen Flegels hinein, Antheil an seiner Caricatur-Freude zu nehmen, ha! ha! ha!

Lucifer (schleudert ihn weg).

Lieg', du ihres Gelichters! Verdammt, auf der Oberwelt hundert Jahre lang als solch ein Schmierer herum zu kriechen. Hündisch, sich über so was zu freuen. Ueber's Knie jetzt den Zepter!

(Will den Zepter zerbrechen.)

Berlicki, Vizlipuzli.

Halt' ein, König!

Mephistopheles.

Halt' ein!

Lucifer.

Woher? Sprichst du zu der Menschen Ruhm, falle nieder auf deinen Nacken mein Schlag! Will noch alle zertreten, die mir nur in Gedanken weiter Unrecht geben; hört ihr?

Mephistopheles.

Bin herum geschwärmt hin und her, auf und ab; habe gefunden, wie du gesagt, des Matten und Schwachen die Menge, des Starken, Festen, so so, des Herrlich-Großen wenig.

Lucifer.

Nichts, gar nichts! Wer ist groß? Was? Kann man noch Großes in dieser Welt suchen? Will einen einzigen Großen kennen lernen, einen einzigen festen ausgebacknen Kerl, zu dem man sagen könnt': fix und fertig ist der! Wagst du's, mir solch einen zu zeigen?

Mephistopheles.

Meine Hand drauf!

Lucifer.

Höllengenie! Ich bin König! Ich! Eures Gleichen nehmen sich gerne viel heraus; merk' dir, daß ich König bin. Will nicht geniemäßig gerne gefoppt seyn, oder mich länger pro patria herum schrauben lassen. Ist's nichts, so resignir' ich; nehme, wer will, solchen Zepter auf. Die Hölle mag wie eine verlassne Heerde sich selbst hüten. Mag nicht Regent seyn, über solche Elende zu herrschen. Oder muß ich bleiben, auf mein Feuerroß dann und die neu angekommnen Seelen mit meinen schwarzen Höllenhunden wie Hasen verhetzt; will sie doch auf eine Art los werden. Jetzt Punctum! Die Luft hierum ist mir ganz zuwider. Uh! Mich peinigt's; Doctor, ihr werdet zu schaffen kriegen, uh! Mich reißt's in allen Gliedern gewaltig! Doctor! Doctor!

Alle.

Seht, wie er zerrt, die Fäuste ballt! Hilf, Doctor!

Berlicki.

Still! Still! Ich beobacht' einen der schönsten, seltensten Paroxysmen! Ey, ey! 'was Extras! Wenn er nur nicht so schnell vorüber geht. Still! Alle Symptome! Daß ich mein Toll-Elixir nicht zur Hand hab', sie noch um einen Grad zu verstärken. Schön! Schön! Schreib ohnehin eine Abhandlung über die Rasereyen der Könige; dieß kommt mir jetzt trefflich zu Statten.

Lucifer (springt auf).

Wohl! Oh! Der Tag befeuchtet schon die Welt. Mephistopheles, erinnere dich, was du uns versprochen; ich erwarte dich drunten auf unserm Reichstag, den wir sogleich durch all' unsre Lande ausschreiben. Auf jetzt, was unter meiner dunkeln Fahne geschworen! Will hier nicht den Morgen erwarten, der schon dort an den Gebirgen heraufdämmert. Folgt mir!

(Gemurmel; ab mit dem ganzen Gefolg.)

Mephistopheles.

Will mich stellen (sieben Geister treten auf), sobald ich hier meine Befehle gegeben. Auf! Auf! Sieh da meine getreuen Leibeignen, alle zu meinem Dienst schon bereit, meinen Befehlen gehorchend, unterschieden zwar an Willen, Art und Meynung, wie Menschen, Thiere und Kräuter; aber im Punct des Wirkens sich immer im Höllen-Interesse umschlingend. Ihr habt vernommen, was ich Lucifern versprach; wohlan denn! Gefunden nun mein Wild, hab's ausgestöbert; ihr seyd die Hunde, nun es vollends herabhetzend nach meiner Höhle. Auf denn, ihr meine dunkeln Gesellen, die Liebe zu mir vereinigt, obgleich schmerzliche Liebe, ähnlich der bängsten Qual! Auf! Auf! Versenkt euch und schießt umher, jeder in seiner Kraft. Verliert euch wie die Strahlen des Lichts im Schatten, unmerkbar nahet durch alle Elemente hinzu. Faust soll diese Nacht uns aus der Hölle herauf beschwören. Er soll!

(ab)

Alle.

Er soll! Wir wissen's, was du heischest, wissen's und vollbringen's.

Zweyter.

Wo ich ihn pack'!

Dritter.

Ich halt' und drück'!

Vierter.

Wo über ihn das Netz ausrück'

Fünfter.

Gefangen fest an Leib und Geist,
Wie'n Vogel an der Stange!

Alle.

Wohlan! Wohlan! Ihr Brüder, auf!
Des Morgens Schimmer graut herauf!

Erster.

Ich flieh zuerst, mein Werk geht schon
Vor mir —

Zweyter.

Nach dir schwing' ich den Flügel gern;
Wir stammen Beyd' aus einem Stern.
Was ist zu thun, Bruder?

Erster.

Sieh hier!
Betrug hab' schon voran geweckt,
Der Bosheit Rath und That entdeckt.
Der Peitsche Knall! Hörst's in den Wind?
Der Wechsler flieht mit Weib und Kind,
Führt Fausts Vermögen jetzt davon
Und läßt ihm Gram und Spott zum Lohn.
Hu! hu! Da bring' ich noch ein Paar!
Die zog er aus der Grube gar,
Verbürgt für sie sein Gut und Ehr',
Bruder, geleit' sie bis ans Meer.

(Man sieht durch die hintre Oeffnung Kutsch und Reiter im Sturm vorbey eilen.)

Alle.

Zur Stadt! Die Morgenglocke ruft,
Wo wir nicht eilen durch die Luft.

Dritter.

Jetzt die Gläub'ger all zu Hauf!
Holla! Holla! Ihr Juden, auf!

(ab)

Vierter.

Fahr' in die Schelmen gar hinein,
Damit sie Stahl und Eisen seyn.
Komm', hilf mir!

(ab)

Fünfter.

Streif
Nur voran, ich bin dein Schweif!

(ab)

Sechster.

Juheya, Brüder! Eilt mir nach,
Das Ding geht gut, eh grauer Tag
Ersteht, versinkt die schwarze Nacht:
Wohlauf denn, unser Werk vollbracht!

(Alle ab.)

---

## Ingolstadt.

(Morgendämmerung. Vor Jud' Mauschels Haus.)

Izick (klopft).

Au way! Au way!

(klopft wieder.)

Mauschel.

Wer is draus an mei Lade?

Izick.

Mauschelche ick, ick, mach uf!

Mauschel.

S'isch noch eitel Nacht drause, ick mach die Lade nit uf. Kannst seyn e Dieb. Wer bist du?

Izick.

Izickche, kennst mich nit an di Stimm?

Mauschel.

Jau, bist du's? Was willt, Izick?

Izick.

Au way! Au way! s'war vor mei Bett' schwarz, so, so, mei Bärtche gezupft, au way! Mein hundert fufzig Ducate! Die Nacht durch, die ganze Nacht getramt vun eitel Mauserey un Schelmenstrach! So mit die Hand hots mich kriegt, gerufe, hell: Izick! Izick! Wach uf!

Mauschel.

Is der en Unglück passirt?

Izick.

Au way, gute Mauschel, dir un mir un di Schummel un Lebche un uns all! Manst, die zwa Mosler, die zwa Schuldenmächer, durchgegange sind se heut Nachts glatt un schön mit Alles!

Mauschel.

Nu, der Faust hot uns vor sie gebürgt; was willt mehr? Er hot uns vor Alles gut gesproche, hörst's?

Izick.

Au way! Der Faust, was will er bürge! E Lump wie der Ander, jetzt ag e Lump! Hörst's guter Mauschel! Heunt mit die Mosler ag fort is der Wichsler Goldschmid, dem de Faust all sei Geld geschosse; ich war in sei Haus; all all leer! Au way! Mei hundert fufzig Ducate!

Mauschel.

Was? De Goldschmid fort? Mei verzig Dublonen! s'reißt mich in mei Bauch ganz kalt.

Izick.

Zieh an e Strump, e Schuch, daß mer fortkomme, der Schummel wart drunte. E Lärm, e gewaltige Lärm, hörst? Mer wölle all'sammt wecke all mit nander den Faust! Hörst, is glatt caput, glatt un schön, sag ich! s' Lebche laft in aller früh zu die Obrigkeit rum, bohnt, Vollmacht z'erlange, anzegreife all all des Docters Meubels, Silberwaar, was do is, Bücher, allerhand Gelds Werth, eh noch zu viel uf Seit geschaft werd; mach fort! Es bricht e klare Bankrut aus. Mauschel, was e Schade! Au way! Is e Gelärms un e Gelafs überall, hätt' aner nur sechs Füß z'seyn überall!

Mauschel.

Nu soll mer sage vum Goldschmid! Wer hätt das geglabt, so e Männ, un so e Name! Krieg de Dippel uf dei Kop! s'is nit wohr.

Izick.

Mach fort! Au way, schun hell Tag, wie e Licht.

Mauschel.

Gleich, gleich! De Doctor mag jetzt zusehn, wie er bezahlt, gucke in die dicke Bücher, hätt' er gesteckt sei Nas mehr in die Leut, mehr in die Welt, wär ihm nit gepassirt der Strach. So e Mann, un so e Gelehrsamkeit, un sei Geld so e Goldschmid anzevertraue uf e blose Handschrift — Izick, wie dumm! wie dumm!

Izick.

Mach fort, Mauschel.

Mauschel.

Er soll bleche. Kannst nit warte, bis ich fertig bin? Die Memme hilft schun. Izick, unser aner hätt mer Segel im Rosch.

Izick.

Mach fort, Mauschel!

Mauschel.

Gleich, gleich! (kommt heraus) Nu, was's der Doctor schun?

Izick.

Sag dir, na. Mer wollen en wecke. De Schummel wart drunte, komm!

Mauschel.

A Wort! Hulch hin zu de Schummel, will gehn zu de Magister Knellius, der a große Bekanntschaft hat bey die Räth, is e große Todfeind vum Faust, soll uns verhelfe zur Vollmacht.

Izick.

Jau! Jau! Thu's, guter Mauschel, thu's ag!

(Beyde ab.)

---

Fausts Studierstube.

(Faust sitzt und liest aufmerksam.)

Da müßt' es endlich hinkommen! Alles oder gar nichts! Das schale Mitteldding, das sich so die hintere Scene des menschlichen Lebens durchschleppt — weder Ruh' noch Befriedigung da zu erjagen! Ein einziger Sprung, dann wär's gethan! (liest) Lieber aller Bequemlichkeit beraubt; genährt und gekleidet, so sparsam als die strengste Philosophie erdultet: nur die Kraft, das auszuführen, was ich nahe meinem Herzen trage; die Belebung dieser aufkeimenden Ideen, was ich mir in süßen Stunden erschaffe und das doch unter Menschen-Ohnmacht wieder dahin sterben muß, wie ein Traum im Erwachen. Daß ich mich so hoch droben fühle und doch nicht sagen soll: du bist Alles, was du seyn kannst! Hier, hier steckt meine Qual. Es muß noch kommen, muß! Mit wie vielen Neigungen wir in die Welt treten! Und die meisten, zu was Ende? Sie liegen von ferne erblickt, wie die Kinder der Hoffnung, kaum ins Leben gerückt; sind verklungne Instrumente, die weder begriffen noch gebraucht werden; Schwerter, die in ihrer Scheide verrosten. Warum so gränzenlos am Gefühl dieß fünfsinnige Wesen! So eingeengt die Kraft des Vollbringens! Trägt oft der Abend auf goldnen Wolken meine Phantasie empor, was kann, was vermag ich nicht da! Wie bin ich der Meister in allen Künsten, wie spanne, fühl' ich mich hoch droben, fühl' in meinem Busen all' aufwachen die Götter, die diese Welt in ruhmvollem Loose wie Beute unter sich vertheilen. Der Mahler, Dichter, Musicus, Denker, Alles, was Hyperions Strahlen lebendiger küssen und was von Prometheus Fackel sich Wärme stiehlt: möcht's auch seyn und darf nicht; übermann' es ganz unter mich in der Seele und bin doch nur Kind, wenn ich körperliche Ausführung beginne; fühle den Gott in meinen Adern flammen, der unter des Menschen Muskeln zagt Für was den Reitz ohne Stillung? O sie müssen noch alle hervor, all' die Götter, die in mir verstummen, hervorgehen hundertzünzig, ihr Daseyn in die Welt zu verkündigen! Ausblühn will ich voll in allen Ranken und Knospen! So voll, voll! Es regt sich wie Meeres-Sturm über meine Seele, verschlingt mich noch ganz und ganz. Wie dann? Soll ich's wagen, darnach zu tasten? Es ragt über mir und bildet sich in den Wolken ein Colossus, der das Haupt über den Mond streckt. Ich muß, muß hinan! Du Abgott, in dem sich mein Innres spiegelt! Wie ruft's? Geschicklichkeit, Geisteskraft, Ehre, Ruhm, Wissen, Vollbringen, Gewalt, Reichthum, Alles, den Gott dieser Welt zu spielen — den Gott! Ein Löwe von Unersättlichkeit brüllt aus mir: der erste, oberste der Menschen! (Wirft das Buch weg) Weg! Du verstörst mich. Mir schwindelt das Gehiru; reißest mich da nieder, wo du mich erheben willst; machst ärmer, indem du von ferne zu reiche Hoffnungen zeigest. (Sitzt in Gedanken, man hört von aussen die Juden lärmen.) Was ist das?

Wagner (hereinstürzend).

Um Gottes willen!

Faust.

Was für Lärm?

Wagner.

Ey draussen!

Faust.

Wie? Was plagt dich wieder, lieber Grillenfänger? Komm her, sprich zuvor. Bist du krank, Wagner? Deine Augen voll Thränen?

Wagner.

O ich wollt', ich wär' im Himmel! Diese Welt ...

Faust.

Daß dir doch immer das Leben zur Qual wird! Ich kann dich nicht begreifen. Junge, unsre Herzen weichen beyde aus ihrem engen Zirkel; aber deines schwebt höher droben. Die Welt könnte mir Alles werden, und dir? Du findest nichts unter der Sonne, an dem deine Liebe ganz haften möchte.

Wagner.

Ach Minchen! Minchen! Ihr wißt's nicht; Minchen ist ja mit ihrem Vater davon! Euer Vermögen, der Goldschmid, die Moßler, Alles! Die Juden draussen. . . Unmöglich! Unmöglich!

(Will ab, Faust faßt ihn, man hört die Juden schreyen und larmen.)

Faust.

Halt! Halt! Du mußt ausreden, kommst mir nicht von der Stelle los. Was ist's? Ha! Wie?

---

Magister Knellius Stube.

(Tisch, worauf Papiere, Schriften, Bucher und Briefe in Unordnung hingestreut liegen.)

Knellius, Sandel hinkend am Stock.

Knellius.

Verzeihn sie! Da bin ich wieder, Herr Sandel; den Augenblick Alles ausgemacht; ein Wort, und wie der Blitz. Die Juden haben die Vollmacht an Fausts Vermögen, Bücher, Hausrath et cätera. Ist doch billig, daß man sich ein wenig der armen Teufel annimmt, damit sie nicht Alles verlieren; die Menschlichkeit befiehlt das. Von hier aus kann man grad' an das Haus sehn. Wie die Juden einstürmen! Sehn sie doch, Herr Sandel! Das wird des Doctors Muth ein wenig darniederlegen; so auf einmahl Alles verloren und noch obendrauf die Prostitution. . .

Sandel.

Wie das freut! Ha! ha! ha! Ey! Sackerment! Das Laus=Dintenfaß da, hätt' mir's fast über'n Leib gegossen. Ey, ey! Mein Fuß! Ey! (Sitzt)

Knellius.

Sieht ein wenig gelehrt, heißt das, schweinisch, unaufgeräumt bey mir aus. Nicht wahr, Herr Sandel trinken doch ein Schälchen Chocolade bey mir? Extra feine; hab' sie von einer Dame zum Präsent bekommen, die soll ihucu ihr Podagra verjagen.

Sandel.

So? Warum kann er den Faust nicht leiden, Herr? Ey warum? Sag' er mir, warum?

Knellius.

Ist ein Narr, Herr Sandel.

Sandel.

So?

Knellius.

Mit dem kein ordentlicher Mensch sich vertragen kann; ein Hasenfuß, ohne Sitten, mit einem Wort, ein Genie!

Sandel.

Ha! ha! ha!

Knellius.

Da arbeit' ich eben an einer Disputation wider ihn; kann mich jetzt unmöglich viel mit solchen bellettristischen Kleinigkeiten abgeben, bin zu sehr mit solidern Geschäften occupirt. Dann und wann so ein Augenblick, ein Stündchen zu Erhohlung, zum passer le tems, nicht anders.

Sandel.

O natürlich! Der Herr hat immer zu viel zu thun! Ueberhaupt, Alles wendet sich an ihn, der Herr muß immer für Andre rennen und laufen. Das frißt Zeit, ha! ha! ha! so den Minister, den Protector zu spielen! Ha! ha! ha!

Knellius.

Meine große Uebersetzung, Herr Sandel, die frißt Zeit weg. Dieß weitläufige Werk, worauf das ganze gelehrte Deutschland aufmerksam ist, von so weitem

Umfang, wozu Riesenarme eines Halbgottes gehören, und das ich mich erkühnet, allein zu unternehmen.

Sandel.

Schwerenoth! Was ist denn das für ein Werk?

Knellius.

Die Uebersetzung des chaldäischen Corpus Juris, mit Noten und Erläuterungen verschiedener arabischer Scribenten.

Sandel.

Chaldäisch versteht er einmahl nicht; wo kriegt er denn die Leute her, die übersetzen?

Knellius.

Für Geld und gute Worte finden sich überall Leute, die das schon so grob oben weg zu machen wissen; muß es doch hernach erst poliren. Eigentlich ist das das Letzte, wofür ich immer sorge; erst für Pränumeranten und dann für's Privilegium.

Sandel.

Herr, das Buch ist schon übersetzt heraus, hab's selbst in meiner Bibliothek. Er hat gelogen, da er sich in den Zeitungen als der Erste annoncirt hat.

Knellius.

Wie? Wie? Herr Sandel? Nu, wenn's auch schon da wär', der Erste oder der Zweyte, das thut ja nichts zur Sache. Ein Jeder überzeugt sich selbst und schreyt hin, so laut er vermag: ich bin der Erste! Das Publicum mag hernach glauben, wem es will.

Sandel.

Aber tausend Sackerment! Ey, mein Bein! — s'ist hundsfüttisch, Herr! Spitzbübisch!

Knellius.

Ah Possen, ha! ha! ha! Possen! Herr Sandel, ein Jeder dämmert auf diesem Erdenrund sein Fleckchen wie der Andre; ein jeder hat so viel Recht wie der Andre. Wer heißt die Lümmel mir alle guten Einfälle vor der Nase wegschnappen, die ich vielleicht in futuro auch noch haben könnte? Und wenn auch der Eine erfindet, der Andre cultivirt's weiter! Die Art, mit der man heut zu Tage eine Sache thut, macht Alles, Herr Sandel. Vaterlandsliebe! Menschenliebe! Liebe zur Ausbreitung der Literatur! Ein wenig wohlfeil, Vignetten; was nur in die Augen leuchtet, Sächelchen, die einer, wenn er's nur im Geringsten mit dem Verleger versteht, anderswo hundertfältig wieder einzubringen weiß: omne tulit punctum! Geld, Herr Sandel, Geld regiert die Welt! Wer Geld hat, hat Genie und Verstand; Geld ist mein Genie und Lorbeerkranz, und wenn ich das hab', pfeif ich auf alle Lorbeerkränze, wo sie auch herwachsen.

Sandel.

Hätt' auch nicht sonderlich Ursach mehr, darnach zu haschen, ha! ha! Kam schon wüst ins Gedräng, ist schon so zusammen geritten worden, daß ihm der Appetit nach Lorbeerkränzen vergehen sollt'. Magister, die Wahrheit, er hat schon wüste Püffe gekriegt.

Knellius.

Ah so, ha! ha! ha!

Sandel.

Nicht ah so, sondern in optima forma. Sieht er, das gefällt mir jetzt wohl an ihm, daß er die Poeterey ganz auf Seite geschmissen und sich mit was Anderm abgibt, das ihm vielleicht besser zur Hand schlägt.

Knellius.

Ich auf Seite geschmissen? Auf Seite geschmissen? Im Gegentheil! Jetzt will ich erst recht anfangen. Meine Elegieen sind in ganz Deutschland als erbärmlich ausgepfiffen worden: weiß Alles, warum, kenne die Cabalen! Aber das soll mich nicht schrecken; jetzt will ich erst hervorrücken all' den scheelsüchtigen Recensenten-Flegeln zu Trutz; hervorwischen mit zehu, zwanzig, dreyßig, hundert auf einmahl, hier und da und dort, daß sie nicht wissen, wie und woher. Und da will ich feuern mit den Uebrigen die ich an der Hand habe, daß sie meynen sollen, der Himmel blitzt über ihnen zusammen. Nein, mein werthester Herr Sandel, da kennen sie mich noch nicht! Wer nachgibt, hat verloren; wer zuerst aufhört, hat Unrecht in dieser Welt. Ausgehalten, bis auf den letzten Mann, sollt' einer auch drüber zu Kraut zerhackt werden! Das letzte Wort, das beste Wort! Gut oder schlecht, all' eins! Wenn zehn, zwanzig schreyn: das ist nichts nutz, muß man vierzigmahl wieder entgegen schreyen: ihr versteht's Alle nicht, und dann hinter ihre eignen Sachen hergehn, wie sie auch seyn, noch so groß, thut nichts! Streiten mit großen Männern, macht immer Aufsehen und Lärmen, und wenn man auch zertreten wird — thut nichts! Man wird doch immer in der Polemik neben einem großen Namen genannt. Und dann bleiben ja noch so Viele übrig, mein lieber Herr Sandel, bey denen unser einer auch Recht hat, und noch Patrone, bey denen es oben drauf noch etwas einträgt.

Sandel (aufstehend).

Aber am End', Magister, wenn der Patron merkt, daß hinter dem gelehrten Mann im Grunde doch ein fauler Fisch steckt, wie dann? Die Thür', Magister! Er weiß, wie das zu gehen pflegt.

Knellius.

Spaß, Herr Sandel! Wenn der Fuchs Drohungen scheut, wird er sein Lebtag nicht fett. Die Weiber sind meine Haken, mit denen ich nach den Männern angle. Hab' ich das Weib einmahl, was will der

Mann? Es gehört Uebung dazu, sich durch die Welt zu schicken, und einem armen Teufel geht's oft hinderlich genug. Sottisen und Weiber-Launen mit einem lächelnden Gesicht von sich weg zu paufen und eine angenehme Pille nach der andern zu verschlucken, ohne sein Ziel darüber aus den Augen zu verlieren, dazu gehört desperate Courage; und ein Kerl, der das vermag, ist in meinen Augen kein H... — Jeder Bube kann seinem Humor nachlaufen, jeder Narr, jedes Genie; aber Leute, denen man fatal ist, an unser Gesicht zu gewöhnen, sich trotz aller Heterogeneität mit Andern in eine Gesellschaft einzupassen.... Herr Sandel, die Chocolade ist fertig, kommen sie. Ist doch Alles in der Welt nur pro forma; pro forma, was wir leiden, wo unser Interesse implicirt ist; haben wir einmahl, was wir wollen, die Leutchen gebraucht, wie wir wollen, dann lachen wir, ha! ha! ha! Attachement und Ehrfurcht blas' mir in Hobel!

(Ein alt Weib bringt Chocolade und setzt sie auf den Tisch.)

Knellius (gießt ein).

(Man hört einen Lärm auf der Straße.)

Was ist das! Aha! Sehn sie, Herr Sandel, Soldaten und Gerichtsdiener ziehen in Fausts Haus hinunter; wird ein schön Gepäck geben, wollen unsern Spaß haben. Sehen sie, wie die Juden wegschleppen! Der Faust weiß nicht, was ihm noch grünt! Wenn's da nicht auslangt, Herr Sandel, kann's ihm an Kragen gehu, daß man ihn noch bey den Ohren festnimmt und eincarcerirt.

Sandel.

Er ist ein Esel! Wie kann man das? Für andre Schelmen Alles hergeben und noch dazu . . .

Knellius.

Die Gerechtigkeit, Herr Sandel! Ein altes Sprichwort: Bürgen muß man würgen, Herr Sandel. Warum hat er's gethan, damit geprahlt, ha! ha! ha! Meine Disputation freut mich nur, wie die noch vor ihrer Existenz scheitert. Er wär' wüst gekämmt worden, hab so recht all' meine Galle hinein gebracht.

Sandel.

Doch auch ein unterthäniges Rauchwerk dem Mäcen? Ey, so schlag ihn das... Muß er mich just da an mein link Bein stoßen?

Knellius.

Nicht bös gemeynt, Herr Sandel, kommen sie, wir wollen die Chocolade drüben im grünen Zimmer nehmen, können gemächlich sehu, was unten auf der Straße vorgeht. Lustig, ehe sie kalt wird! (nimmt das Chocoladebrett.)

Sandel.

Hört er's! Geh er zu allen Teufeln mitsammt seiner Chocolade! Will seine Chocolade nicht versuchen; hust' ihm in seine Chocolade! Er Fiegel! Er Esel! (Hinkt an die Thüre, dreht sich um.) Hört er's, daß er mir in der Stadt nicht sagt, hab' mit ihm Chocolade gesoffen, sonst ... sonst ...!

(Winkt mit dem Stock, ab.)

Knellius (stellt wieder nieder).

Der alte Kracher, mich so zu beflegeln! Der Henker! Hat's ihn vielleicht verdrossen, daß ich ihn der Juden wegen so allein da sitzen ließ? Will's gleich erfahren, wenn ich seiner Alten ihre runzlichten ledernen Hände einmahl küsse. Was hab' ich denn gleich bey der Hand, ihr vorzulesen? (Greift in alle Taschen.) Das war eine schöne Gelegenheit, den Faust hinter den Rippen zu kitzeln; hätte den Juden gleich auf der Stelle küssen mögen, der mir sie verschaffte. Ha! ha! ha! Gelt, Herr Doctor! Was ihn das ärgern, grämen, grimmen muß, seinen Hochmuth, der den Wolken entgegenlief, niederstreichen muß! Soll noch besser kommen. So lange der in Ingolstadt existirt, schlaf' ich nicht ruhig. Er ist mir ein Dorn in meinen Augen bey Tag und Nacht. Wenn ich's nur dahin bringen kann, daß er jetzt fest gesetzt wird. Die Juden! Laß sehen, Knellius, hast ja noch Kopf und Leute an der Hand, etwas auszuführen! Gut. Will Alles anspannen. Aber Blitz! Da verspät' ich mich mit Monologiren, indessen der alte Podagrämer mir davon schleicht, in der Idee, als hätt' er mich beleidigt. Das ist keinen Teufel nutz, macht eine gewisse Lücke in der

Conversation, eine gewisse Unbeholfenheit, die gar nicht zu meinen Plauen zweckt; der Kerl nimmt mich dann gleich genauer auf's Korn. Chocolade hin, Chocolade her! Muß den Augenblick nachlaufen und ihn mit ein paar närrischen Histörchen wieder herumbringen. Wenn man nie schreyt, ist man nie troffen worden. Spaß ist kein Spaß, wenn man nicht darüber lacht; Sottise keine Sottise, wenn man sich nicht darüber ärgert. Ueberhaupt mein Principium: mit Leuten, die einem nutzen können, muß man's nicht so genau nehmen.

Schwamm bucklich, Blaß stollfüßig, Amsel einäugig, Ahasverus stammelnd.

Alle.

Empfehlen uns, Herr Magister.

Knellius.

Ey meine lieben, lieben, lieben Freunde, herzlich willkommen! Den Augenblick wollt' ich zu ihnen gehen. (Küßt jeden.) Hab' nothwendige Sachen, zwar nicht von Wichtigkeit, aber doch so, so! Gespaß, Einfälle, wozu sie mir vor Allen behülflich seyn können.

Alle.

Wir sind ihre Diener.

Knellius.

Freunde, lieben, guten Freunde, ohne alle Complimente! Herr Ahasverus, sie müssen mein Herold in einer Sache werden.

Ahasverus.

Sch—sch—sch—steh, steh, zu, zu, zu, Be, Be, Befehl.

Knellius.

Aber eilen müssen wir; kommen sie, kommen sie! Will ihnen Alles unterwegs sagen. Noch einmahl, von Herzen mir willkommen, meine Lieben! (Küßt jeden)

Blaß (der Stollfüßige).

Hat uns nur darum lieb, weil er unter uns einem ordentlichen ganzen Kerl gleich sieht. Wie er uns zusammen gebracht, den, den und den und mich.... Schande, wenn wir uns so untereinander ansehn.

---

## Straße vor des Goldschmids Hause.

Wagner. Eckius.

Eckius.

Wie gehts, Wagner? Du trippelst wie ein verscheucht Huhn in den Straßen herum. Wie ist dir?

Wagner.

So so! Wie du mit allem Witz nicht aushohlen kannst. Mir ist wohl und nicht wohl und doch wohl. Ich wollte, du thätest mir die Liebe und fragtest darüber nicht weiter.

Eckius.

Wenn dir meine Invitation nicht behagt, kann ich dir nicht helfen. Wo ist denn der Doctor?

Wagner.

Er zieht allein mit dem Degen unter dem Arm hin und her; scheucht Alles von sich, was ihm nahen will.

Eckius.

Das ist so seine Manier, wenn ihm etwas im Hirn 'rum geht. Hat er recht gespieen, als er die Nachricht vernahm?

Wagner.

Er knirschte mit den Zähnen und lachte; stieß dann ein paar saure Worte aus und ging schnell in einen misanthropischen Humor über, worin er die Welt und seine eigene Tollheit persiflirte, indem er sich eine Spielkatze der Fortuna nannte, die sie nach ihren Capricen herumhudle; einen Affen, den der Fuchs in den Korb geplaudert und indessen die Eyer verzehret;

einen Pfannenflicker und so weiter. Du weißt schon, wie er's treibt, wenn einmahl seine Imagination rege wird.

Eckius.

Hat im Grund nicht viel zu bedeuten. Er ist keine von den hohlen Tonnen, die gleich gewaltig von innen hervorhallen, wenn das Glück von aussen nur im Geringsten an sie anschlägt; einer von denen, die innen voll Lieblingsideen umhergehen, ganze Jahre lang eine Idee herumtragen und sich so in ihr verweben und verhängen, ganz in ihr denken und leben, daß alles Neue, plötzlich um sie herum Entstandne, nicht so stark auf sie wirken kann; und wenn auch, doch nur momentan, weil die Seele, mit eigner Fracht überladen, unter neuer Aufnahme erliegen müßte. Tröstet euch unter einander! Was man nicht mehr hat, hat man nie gehabt, und damit aus dem Sinn!

Wagner.

O wenn's drauf ankäm', ich wollte dir auch predigen und sagen, was gut ist. Aber du weißt nicht Alles! Wenn Sagen und Thun einmahl in der Welt in gleicher Uebung wären! An meinem Platz, Eckius, würdest du vielleicht anders reden.

Eckius.

Pfui! Was wär das! Siehst du mich für eine angekleckste Lehmwand an, die der erste Sturmregen verwässert und verrüttelt? Gesunde Nerven und das Herz frey, bäumt sich's über jeden Zufall leicht hinaus. Fluchen, schelten, schreyen, über eine Lumperey lärmen, das laß ich mir gelten; 'n braver Kerl kann sich wohl ärgern, auch vor Zorn und Galle oben drauf die Schwindsucht kriegen, wenn zu viel Nichtswürdigkeiten ihm über den Leib fallen und ihn drosseln. Aber das ist auch Alles; zum Wimmern wird mich nichts leicht bringen. Wein und Bier und Wasser ist mir einerley! Wo's auf diesen Punct ankommt... Bin der Jurisprudenz entritten; aber würf' mich das Glück so, daß ich morgen Matrose werden müßte, glaubst du, ich würde um ein Haar weniger Eckius seyn? Possen! Der Faust ist in diesem Punct noch ein ganz andrer Kerl; und du bist ein angehauener Schacht, der noch erst der Welt zeigen muß, was für Metall in ihm wächst. Bey der ganzen Pastete dauern mich die zwey Mosler, die des Goldschmieds Mädel über diese Begebenheit zu Bärenhäutern gemacht; waren keine übeln Leute!

Wagner.

Du peinigst mich! Des Goldschmieds Töchter? Sie? Vielmehr haben die niederträchtigen Schufte den Vater verführt, die Mädchen zu erhalten; ganz gewiß! Ich kenn' auch seinen Eigennutz; aber so weit hätt' er's gewiß nie ohne andre Verstärkung gewagt. Und wer konnte die geben? Minchen, die tugendhafte Seele, würde allein widerstanden haben, würde mit ihren

Thränen sogleich den Entschluß ihres Vaters zu Boden gelegt haben, hätte sie nur im Mindesten Verrath und Betrug geahndet. Und du vergehst nicht darüber, sie so etwas fähig zu halten? Den Engel! Wirf Feuer auf den Altar, brenn' Kirch' und Kloster nieder: du thust verzeihlichere Sünde, als in der Gewalt so harter Beschuldigung der reinsten Unschuld.

Eckius.

Bist brav, Wagner; aber wenn dir einmahl der Bart einen Zoll hinauf in die Backen gewachsen, wirst du mehr erfahren und vermuthlich über diesen Punct etwas anders denken gelernt haben. Mir ist die weibliche Natur eine hohe respectable Natur: hony soit qui mal y pense; aber auch eine sehr wankelhafte Natur, über die der behendeste schärfste Schütz sich verfehlt im Lieben und Geliebtwerden, Hoffen und Verlangen. Es färbt und mahlt und schildert sogleich Alles nach seinem eignen Lichte. Die Mädchen uud Buben sind gar lustige Dinger unter der Sonne. Narr, es hat mich ein wenig stutzig gemacht, wenn ich wohlbemittelte und reich beamtete Jünglinge gesehen, die Wunders hoch in der Rechnung bey ihren Lieblein zu stehen glaubten und am Ende doch nichts anders als nur die Bräme auf ihren Mänteln waren, wofür sie auch galten. Adieu, lieber Junge, hör' dort eben ein paar Degen an einander wetzen. Nu, kommst du diesen Abend zum Essen auf meine Stube?

Wagner.

Zum Nachtessen schwerlich, aber noch immer zeitig genug, ein paar Worte mit euch zu plaudern.

Eckius.

Bedenke, was ich gesagt. Ich, Herz und Kölbel reisen bald von hier nach Strasburg zurück; wenn du dort mit und unter uns leben willt, bist du Patron.

(ab)

Wagner.

Alles untereinander! Ja, wer das ganz ins Reine bringen könnte! Das Hirn fällt mir fast zum Kopf heraus. Faust! Faust! An deiner Stelle, ich wüßte nicht, was ich thät', wüßte nicht, wo es mit mir hinkäm'; und wie ich dich kenne, ich fürchte mehr für dich in dieser Lage, als alle deine übrigen Freunde wähnen. Deine armen guten Anverwandten, denen du einen Theil der reichen Erbschaft noch schuldig bist! Und nun du selbst alles verloren, zugleich mit verloren, was ihnen gehört! Ihr Eigenthum, nicht deines! Es ist nicht zu ertragen. Wie sie sich deiner Redlichkeit freuten, (zieht ein Papier heraus) mir schrieben: unser Vetter Johann, segne ihn Gott für seine Redlichkeit! Wir alle danken ihm und wollen mit Ehestem einen Vertrauten zu ihm hinauf schicken, der das, was er für unser erkennt, in aller Namen empfangen soll; es kommt uns sehr zu gut. — Die Thränen kommen mir in die Augen. Und jetzt, wenn sie's erfahren! Etner ist schon auf dem Weg hierher, in ihrem Namen Alles zu empfangen und abzuhohlen. Mir schaudert die Haut! Was man nur sagen kann und soll? Will mit Fleiß immer hierum auf und abgehen; dort im Ochsen kehren gemeiniglich die von Sonnenwedel ein; ob ich den Abgeschickten nicht antreffe und ihn wenigstens abhalte, daß er nicht in dieser Lage dem Faust über den Hals falle. Gut schwätzen und sich mit Philosophie und Vernunft durchhelfen; aber wer in der Klemme steckt, weiß immer am Besten, wie's thut.

---

## Marktplatz.

Faust, (den Degen unterm Arm) Kölbel.

Faust.

Immer den Buben zu spielen, mit giftiger Zunge über die Sterne zu fluchen, unter denen man gebohren ward, jeder gemeine Schurke hat das zum Ausweg! Hohn und Spott ist meiner Seele Nacht und Abscheu. Aber so weit ist's auch noch nicht mit mir gekommen, daß ich dieß fürchten müßte. Es lebet etwas in mir, das über alle Erniedrigung erhaben ist.

Kölbel.

Lieber Doctor!

Faust.

Ich seh' es in Gedanken, und hasche darnach...

Kölbel.

Hörst du! Bruder Faust!

Faust.

Ob ich's wage? Der große kühne Gedanke, der über mir schwebt: zu weit erhaben über kleine Köpfe! Der Athem verläßt mich iu freyer Luft. Ha! Bist du da? Wie geht's, Kölbel?

Kölbel.

Ohne fernern Eingang, Bruder, noch weitläufige Condolenz über das, was dir zugestoßen: ich komm' hieher, dich zum Nachtessen einzuladen. Eckius und ich, wir suchen dich schon eine gute halbe Stunde. Beliebt's?

Faust.

Dank euch! Aber haltet mir's zu Liebe, ich bin heute nicht sonderlich dazu aufgeräumt.

Kölbel.

Hättest herrlichen Spaß haben können! Zwey Mädel von Strasburg sind hier angekommen; alte gute Bekanntschaft von mir, mit einem Knasterbart von Onkel, der den Argus über sie macht. Das Ding war Anfangs äusserst übel, man kounte vor dem Alten kein Wörtchen an Mann bringen; immer hatte ihn das Wetter dazwischen. Eine allein auf Seite zu kriegen, daran war nun gar nicht zu gedenken, und ob er gleich ein großer Liebhaber von Zeitungsneuigkeiten war und ich Kerlchen genug mitbracht', die sich einander fast die Lunge ablogen, den Ketzer immer aufmerksam zu erhalten, half's doch nichts; sah er, daß ich Eine oder die Andere nur mit der Hand berührte: gleich dazwischen geschnüffelt, ey, ey, ey, was gibts denn da? Und machte dabey ein Gesicht, wie eine Papierscheere, die man auf und zu macht, indem Nase und Bart, beyde gleicher Länge, einander beständig küßten, wenn er so was über's Zahnfleisch wegraffelte. Endlich half uns Herz aus; der Gaudieb verkleidete sich heut früh, legte die Kleider seiner Hausfrau, der dicken Schneiderin an, rieb seinen blauen Bart mit Röthel und Bleyweiß, daß es ein Elend war; ich mußt' ihn dort als eine Bekanntschaft von mir unter dem Namen der Frau Conrectorin dem Alten und seinen zwey jungen Bäschen vorführen, und da hättest du den Teufel nur sehen sollen, wie er das so meisterlich in einander gemacht! O es war zum Fressen! Der Bursch' ist zum größten Comödianten gebohren. Kurzum, er wußte den so zu streicheln und einzunehmen, ein Spaziergang wurde vorgeschlagen, Herz hing sich in des Onkels Arm und zog ihn mit sich voran, ich mit den Mädel hinten drein und husch in ein Nebengäßchen hinein, eh der sich's versah! Nun sitzen sie auf meiner Stube und mein Hauswirth, der alte Podagrämer Sandel, der sich mit seinem Weib des Magister Knellius wegen brouillirt hat, hält sie für meine zwey Bäschen. Ich suchte gleich, um dich bey dem Spaß zu haben; sind zwey muntre fidele Mädel. Komm' mit! Hörst? Wie? Was? Er hört nicht auf mich? Was fehlt dem? Davon mit dem Geist! Sieht umher wie einer, der im Schlaf umgeht. Was murmelt er zwischen den Lippen? Faust!

Faust (vor sich.)

Schande wär's, abzustehen! Gefährliches Unternehmen! Und doch Schande! Was ist's, daß meine Gedanken so zusammenfaßt und immer nach dieser Aussicht hindreht, wo alle Gaben des Glücks vor meinen Füßen hingestreut da liegen? Meine Seele sträubt auf und ahndet irgend ein gefährlich Wesen umher, das sie fangen will: der Instinct der Taube, die den Marder am Schlag spürt. Dieß Beben und Klopfen, es geht um mich herum und herum, dorthin und dorthin will's immer mit mir. Was es auch ist, ich will ihm folgen. Ha diese goldnen Träume, die um mich her wandeln und sich in mein Inneres hineinspiegeln, sind zu lieblich im Anschauen, zu schmerzlich wieder zu verlassen, wenn man sie einmahl gesehen. Warum zag' ich denn? Weg! Ein andermahl mehr darüber. Für jetzt, was ist gleich zu thun? Hin ist hin; und ich habe auch schon den Quark von Verlust vergessen. Vielleicht wollt' es Schicksal so; sie mußten sich auf meinem Rücken vom Untergang retten, ich war der

[illegible]se oder andre mit Elend Beladene, am Rand des [illegible]erderbens Schwindelnde, dort Trost und Hilfe ge[illegible]n das Unglück zu suchen, das sie auf allen Wegen [illegible]nt; die, wenn sie das Letzte hier gewagt, hernach [illegible]ach mit Recht sich der Verzweiflung ganz in die Ar[illegible]e werfen dürfen. Diese Gesellschaft will ich heute [illegible]rmehren; gewinn' ich nur so viel, meine Verwandten [illegible] befriedigen, wohlan, so ist mir wider eine Weile [illegible]hl. Will sehen, wie es geht; verlier' ich, immer [illegible]n! Mir bleibt am Ende doch noch mein letzt Refu[illegible]um. Wie, Bruder Kölbel, noch hier? Ich dachte, [illegible]u wärst schon weiter.

Kölbel.

Du warst in tiefem Nachdenken begriffen, Bruder...

Faust.

Ach ja! Es fiel mir etwas aus den vorigen Zeiten [illegible]n. Die Zukunft und die Vergangenheit sind es im[illegible]er, wonach wir Menschen unsre meisten Blicke wen[illegible]n; wir sehn uns oft größer in der schmeichelnden [illegible]ukunft und müssen, um wieder die richtige Propor[illegible]on zu treffen, die Vergangenheit zu Hilfe nehmen, [illegible]e dann den wahren Spiegel vorhält und uns weis't, [illegible]as wir werden können, indem sie zeigt, was wir [illegible]aren. Wie, sagtest du mir nicht vorhin noch was [illegible]nders?

Mäkler, sie wieder mit dem Glück auszusöhnen und mir ist die Anwartschaft auf eine erhabnere Stelle verliehen. Nur das Einzige, es greift mir in die Seele: was werd' ich meinen armen Verwandten jetzt geben? Ihre Hoffnungen so hintergangen; es ist zu arg! Doppelt, doppelt, mir anvertrautes Gut so unachtsam zu verschleudern! (Zieht einen Beutel unterm Mantel hervor) Mir fällt etwas ein, ja, ja! Muß erst Alles versuchen; über dem Geschwätz verliert man endlich alle Activität. Das will ich! Gewinn' ich nur so viel wieder, zum Theil Die auf so lange zu befriedigen, bis ich dorthin näher komme: dann wär' ich ein Weilchen ruhig. Dieß mein ganzer Rest!

Kölbel.

Nun, ich will doch sehen, wann er wieder zu sich selbst kommt. — Jetzt athmet er leichter und blickt gelassener umher. Ist er vielleicht nicht wohl? Was er mit dem Beutel in der Hand will?

Faust (vor sich).

Zu wenig und zu viel in meiner jetzigen Stellung! Gut denn. Draussen vor der Stadt versammelt sich gegen das öffentliche Verboth in ödem finstern verfallnen Thurme, wo Eulen und Gespenster bey Nachtzeit herbergen, heimlich eine Gesellschaft Spieler; vermummt und masquirt schleichen zu ihnen nur Leute, die mißvergnügt mit Gott und Welt, oder junge Waghälse oder andre mit Elend Beladene, am Rand des Verderbens Schwindelnde, dort Trost und Hilfe gegen das Unglück zu suchen, das sie auf allen Wegen hetzt; die, wenn sie das Letzte hier gewagt, hernach auch mit Recht sich der Verzweiflung ganz in die Arme werfen dürfen. Diese Gesellschaft will ich heute vermehren; gewinn' ich nur so viel, meine Verwandten zu befriedigen, wohlan, so ist mir wider eine Weile wohl. Will sehen, wie es geht; verlier' ich, immer hin! Mir bleibt am Ende doch noch mein letzt Refugium. Wie, Bruder Kölbel, noch hier? Ich dachte, du wärst schon weiter.

Kölbel.

Du warst in tiefem Nachdenken begriffen, Bruder...

Faust.

Ach ja! Es fiel mir etwas aus den vorigen Zeiten ein. Die Zukunft und die Vergangenheit sind es immer, wonach wir Menschen unsre meisten Blicke wenden; wir sehn uns oft größer in der schmeichelnden Zukunft und müssen, um wieder die richtige Proportion zu treffen, die Vergangenheit zu Hilfe nehmen, die dann den wahren Spiegel vorhält und uns weis't, was wir werden können, indem sie zeigt, was wir waren. Wie, sagtest du mir nicht vorhin noch was Anders?

Kölbel.

Ich sprach viel, du merktest aber nicht darauf.

Faust.

Bin in einem wunderlichen Humor heute. Mir ist nicht wohl; doch das wird schon wieder vergehn. Leb' wohl, Bruder! Grüß' mir deine Cameraden, ich habe nothwendig an einen Ort zu gehn.

(ab)

Eckius (tritt auf).

Kölbel! Wo läuft denn der hin? Wie ist's? Kommt er diesen Abend? — Kölbel, du bist ein herrlicher Kerl von Lebensart, die Mädel so allein auf deinem Zimmer hocken zu lassen. Schön! Schön!

Kölbel.

Seit wann kommt's dir ein, über diesen Text zu predigen? Ich glaub', eine von meinen Bäschen hat dich überrumpelt. Horch, daß du mir nur nicht an die Blonde gehst! Was Henkers! Sogar deine Schuh' und Schnallen heut geputzt? Ja, jetzt ist's aus!

Eckius.

Narr, es muß mir doch einmahl kommen. Bin ja bey dir in guter Camaradschaft; werd' doch beym Element etwas profitiren!

Kölbel.

Den Faust kriegen wir heute nicht. Es fliegt ihm noch zu viel durch's Hirn; der stand vorhin da, wie einer, der in einer Versteigung gern mit biethen möcht', und doch kein Geld in der Tasche hat. Die Augen und Lippen zielten nach etwas, aber die Worte blieben in der Gurgel stecken. — Wie stehts mit dem Herz?

Eckius.

Gut; der soll bald erlöst werden. Hab' dem Alten so eben ein Quartier beym Bartkratzer Atzel gedungen, der ihn in sein hinterstes Kämmerchen im Hof den Mittag über einsperrt und zum Zeitvertreib ihn eine Weile balbiren, klystiren und laxiren machen soll. Der Kerl freut sich wie ein Narr darauf, daß er einmahl wieder solch einen Spaß unter die Finger kriegt.

Kölbel.

Der Donner! Daß ihm aber auch ja kein Leids geschieht!

Eckius.

Dafür laß mich sorgen. Warm Wasser wird er brav in den Leib bekommen; das ist Alles. Weiß sonst kein Mittel, ihn los zu werden. Der dicke Herz, was der flucht und schwitzt! Solltest ihn nur 'mal durch die Straßen patschen sehen, ha! ha! über'n Markt, durch die Mühlen, über die Brücke, durch alle Winkelgassen, in Hoffnung ihn los zu werden. Am Spital zog er ihn durch den Kandelunrath; aber Alles vergebens! Panzer klammerte sich mit beyden Händen nur noch fester an ihn und behammelte Herz zugleich mit, indem er immer rück- und vorwärts mit dem Kopf nach den Teufelskindern, seinen Canaillen-Niecen, schrie. Die Ungedult übermannte endlich Herz und er fing so heillos zu donnern an, daß dem Alten alle Kniee und Beine zitterten und ich vor Lachen durchgehen mußte. Will ihn jetzt gleich aufsuchen.

Kölbel.

Geh, sieh, daß du ihn losbringst. Der gute Teufel thut doch Alles unsertwegen.

Eckius.

Was für eine Erscheinung?

Gottesspürhund.

Eure Hand! Ihr seyd Faust.

Kölbel.

Freund, wer sagt ihm das?

Gottesspürhund.

Was man nicht sehen kann. Eigentlich: Physiognomik versichert mich's.

Kölbel.

Ein Beweis, daß sich die betrügen kann. Ich bin Faust nicht.

Eckius.

Physiognom? Ha! So schaut mir doch auch 'mahl in die Fratze.

Gottesspürhund.

Meine Augen haben euch verwechselt. Du bist Faust.

Eckius.

Herr! Nochmahl fehlgeschossen. Bin so wenig Faust, als ich der Seckler bin, der euch eure langen Tolpatschhosen genähet.

Gottesspürhund.

(Dreht sich nach seinem Lehnlaquais, der im Grund steht.)

Wieder einmahl durch solch einen Schurken mich prostituirt! Aller Effect jetzt hin.

Knöbel.

Im Grund immer ein Vergnügen, für einen Löwen oder Elephanten angesehen zu werden, wenn man nur Marder oder Dromedar ist. — Guter Freund, dieser hier ist Eckius, Doctor der Rechte, und ich, Kölbel, beyde Fausts Freunde. Darf ich jetzt fragen, wen wir vor uns haben?

Gottesspürhund.

Bin Spürhund, aus der Schweiz.

Kölbel.

Woher?

Eckius.

Aus der Schweiz, sagt er.

Kölbel.

Ein schönes, liebes Land, die Schweiz, wo noch reinste Sitten, wahrer Menschensinn und Freyheitsgeist hier und da im Schwang gehen. War auch drinnen; mich freut's immer von dort her was zu hören, ein jeder Schweizer hat für mich besondern Werth. Willkommen also! (Gibt ihm die Hand.)

Eckius.

Ist der Herr ein Literator oder treibt er sonst ein Geschäft?

Gottesspürhund.

Bin Spürhund aus der Schweiz; mein Name und meine Beschäftigung sind bekannt. Ihr habt wohl auch von mir gehört?

Kölbel.

Wüßte mich nicht zu besinnen.

Gottesspürhund.

Ist nicht vor vierzehn Tagen ein Theolog hier durch, der bey Faust und Fausts Freunden mein Kommen gemeldet?

Eckius.

O ho! Das war ohne Zweifel der zerfetzte Bettelpfaff', der sich für einen Sclaven-Erlöser ausgab und sich um einen Schoppen Wein in der Wirthsstube mit dem stärksten Doggen herum biß! Recht, recht! Er sprach immer von einem gewissen aus Zürch... Ihr seyd also der reiche Ochsenhändler selbst, Herr?

Gottesspürhund.

Bin kein Ochsenhändler. (Bey Seite) Die Bengel!

(Geht ab)

Eckius.

Phu! Der wär' gepatscht!

Kölbel.

Machst's auch zu grob! Hab' ihn eben mit auf's Zimmer invitiren wollen, wir hätten die beste Gelegenheit gehabt, ihm recht auf den Zahn zu fühlen. Er sieht wirklich nicht übel aus, wenn er schon kein Original-Kerl ist, merkt man doch, daß er gern einer seyn möchte.

Eckius.

Wenn man die Bursche so rumoren sieht, muß man sie gleich mit Einem Hieb vom Platz heben, sonst springen sie einem auf den Rücken und reiten einen wie 'ne Mähre zu Schanden. Ich kenne die Sorte, das ist so die wahre Art, zuvor Lucifer zu senden, um desto sichrer hinter drein Wunder zu thun. Laß sehn, ob ich auf der rechten Fährte bin. Er logirt im Schwanen; ich sah ihn heut früh auf einem Schimmel anreiten, schick' hin und laß ihn invitiren; er darf kein Flegel seyn und wegbleiben oder wir wollen ihn Mores lehren. Sieh! Sieh! Wer kommt da?

Kölbel.

Blitz, der Panzer! Ich muß fort, sonst ranzt er mich um seine Niecen an. Hilf jetzt dem Herz los!

(ab)

Eckius.

Gut, will schon machen.

(Panzer an Herz's Arm.)

Panzer.

Musje! He! Musje! War's nicht der nämliche Herr Kölbel, der meine Niecen weggeführt? Kommen sie, Frau Conrectorin, laufen sie doch mit mir nach! Kommen sie!

Herz.

Hohl' ihn der Hagel! Lauf' er allein, wenn er Lust hat. Ich bin kein Musje! Kenne keinen Musje! Lauf' nicht gern! Lauf' er allein nach.

Panzer.

Ach nein! Ich bin hier fremd; sie muß mich wieder zu meinen Niecen führen. (Hält sich mit beiden Armen an Herz.) Ich lasse sie nicht um Alles. . . .

Herz.

O alle Wetter! Alle Wetter!

Panzer.

Um Gottes willen sagen sie mir nur, wo sie wohnen? Haben mich schon dreymahl die Stadt auf und abgeschleppt! Mein Bein! Meine Kleider!

Herz.

Die Hunde von Camaraden! Mich mit diesem Unthier so allein zu lassen! Er hängt wie ein Hörnerteufel an mir! Sollen mirs entgelten.. Komm' er, Herr Panzer, muß ein Bißchen ausruhen. (Sitzt auf einen Stein am Haus.)

Panzer.

O weh! O weh! Unter der Dachtraufe! Es tropft mir in die Anke, der Schnupfen, Rothlauf!...

Herz.

Das thut mir nichts, Herr Panzer!

Panzer.

Ja, ich sprech' von mir.

Herz.

Thut ihm auch nichts, Wasser in der Anke ist neu Leben, Herr Panzer! Sitz' manchmahl ganze Stunden lang so unter der Dachtraufe.

Panzer.

Ey behüte! Ey behüte!

(Eckius gibt Herz ein Zeichen)

Herz.

Ah so, ihr Höllenhunde! Kommt ihr einmahl? Jetzt will ich ihn zu seinen Niecen führen!

Eckius (zwischen Herz und Panzer).

Wie, du Vettel, treff' ich dich hier an? Gleich ins Zuchthaus mit dir Nickel! Du unterstehst dich noch, mit ehrlichen Leuten umher zu gehen, dich für eine Frau Conrectorin auszugeben? (Reißt sie auseinander und hält den Panzer) Lauf! Lauf! (Herz läuft davon) Will dich schon kriegen. Wer ist denn er, Herr? Wie kommt er in diese Gesellschaft?

Panzer.

Ich weiß selbst nicht; ein gewisser Mußje, der meine Niecen besucht.... Meine Niecen, Herr, sind verlohren! Ich bin fremd hier, sie sind mir geraubt worden, ach Himmel!

Eckius.

Mit solch einem Laster umherzuziehen! Wahrhaftig, Herr, er ist sehr erschrocken und erhitzt; ich will ihn hier nahe in eine Apotheke führen, muß roth hallisch Pulver einnehmen.

Panzer.

Wie sie meynen!

Ahasverus, Amsel.

Ahasverus.

I — i — ich so — so — so — soll —

Eckius.

Was quäckt der Frosch da? Will er zu mir?

Amsel.

Wir kommen eigentlich in Herrn Magister Knellius Namen, wir suchen Doctor Faust. Möchten selbem eigentlich zu wissen thun, daß schon besagter Herr Magister Knellius .... seiner Ehre wegen, ohnmöglich jetzt mit dem Doctor ...

Eckius.

Wie? Was? Ehre und Magister Knellius, was soll das? Er will vielleicht nicht seine Disputation halten?

Amsel.

Ja, wegen der Disputation. Er kann nicht, es thut ihm leid.... Aber die Schande und Schmach, worin jetzt der Doctor steckt...

Eckius.

Er muß! Was Schande und Schmach! (Gibt beyden Nasenstüber) Ihr Schufte!

Amsel.

Darüber wollen wir uns eine Explication ausgebethen haben.

Eckius.

Sehr gern, sie wächst in meiner Hand! (Gibt jedem eine Ohrfeige.)

Ahasverus.

Ah — ah — en —

Amsel.

Gut, wir wollen Alles hinterbringen und er soll sehen, was er zu thun kriegt.

(Beyde ab)

Eckius.

Für was man noch Klingen hier in der Scheide trägt? Wenn man sich nicht vor den Spiegel stellt und hinein sieht, bringt man keine bloße Spitze gegen sich. Pfuy! — Nu, will er roth hallisch Pulver?

Panzer.

Ach ja, ja, so viel sie wollen, wie sie meynen; Alles, Alles, was sie für gut finden. Wie mir's noch ergehen wird! Der böse Herr Ochsel, der mir meine Niecen verführt!

(ab)

---

Sonnenwedel.

(Hanne, Fausts Mutter im Bette, husteln̄d, ihre zwey Enkel spielen davor.)

Minchen (in Reisekleidern schnell zur Thüre herein.)

Grüß' euch Gott da beysammen, lieben Leute, Gesundheit und Ruhe der Kranken im Bett'! Hier ist Geld in einem Briefchen auf Ingolstadt, Geld für die Mühe! Auf euer Gewissen leg' ich's, den Brief richtig zu bestellen. Adies!

(Legt das Geld und den Brief auf das Bett' und ab.)

Mädchen.

Eine schöne Jungfer, Großmutter! Ein Engelchen, Großmutter! Hätt' ihr mögen eine Patschhand geben und mich verneigen.

B u b e.

Und ich sie auf meinem Hengst reiten lassen. Guck', gehl Geld, Großmutter!

H a n n e.

Weis't her', ihr Kinder! — Nach Ingolstadt, sagte sie? Und so reichlich bezahlt! Der Großvater ist den Weg, euern Vetter besuchen zu gehen. Wie heißt die Aufschrift? Wie? Wie! An Wagner, bey, bey! ... Wenn mir nur die Augen nicht so wehe thäten, daß ich's lesen könnt'. . .

B u b e.

Großmutter, der Schulmeister wird gleich kommen, der kann euch Alles lesen.

H a n n e (dreht sich im Bett' um und schluchzt).

Leg's auf den Tisch, das Geld dazu. Ach Johann! Johann! Mein Sohn! Ingolstadt hör' ich nicht nennen, dann klopft mir's bang in dem Herzen deinetwegen! (Die Hände zusammen) Daß der allmächtige Gott sein Herz regiren, daß er seines Vaters Ermahnungen folgen, daß ich ihn bald aus diesem Gräuel-Leben wissen möge, bald! Sonst bringt mich's unter die Erde.

---

## Ingolstadt.

(Wirthsstube im Ochsen.)

### Fausts Vater.

Endlich einmahl hier und auch schon nach dem Wagner geschickt! Ist mir sauer ankommen, diese Reise. Ach! (Setzt sich und steht gleich wieder auf.) Doch kann ich nicht ruhen, bis ich weiß, woran ich bin, wie's mit meinem Sohn steht; ob's wahr ist, daß er auf solch, gottlosen verbothenen Wegen wandelt, wie man mir berichtet. Wagner ist ein frommer, ehrlicher Junge; ist bey ihm im Haus, muß am Besten wissen, ob's wahr ist, er wird mich nicht hintergehen. Und dann, wenn's so ist: Doctor und Alles bey Seite! Ich will der Obrigkeit zu Füßen fallen, daß sie einem schwachen Vater beystehe wegen eines ungerathenen Sohns, will mich sein mit Gewalt bemächtigen, wenn er im Guten nicht folgen will.

### Keller.

Was befiehlt der Herr?

### Faust.

Ein Glas Wein und eine Cruste Brod. Ist schon hin geschickt worden?

### Keller.

Ja! — Wie geht's, Steffen?

Steffen.

Hör'! Wein her und vom besten! Hab' einen Korb draus, den wir füllen müssen.

Keller.

Wer ist alleweil im Thurm draussen?

Steffen.

Aber still! Der Hals wird mir gebrochen, wenn ein Wörtchen herauskommt: Studenten, fremde Offiziere und der Faust.

Keller.

Der Faust auch?

Steffen.

Der verliert Alles! Solltest ihn nur 'mahl sehen, er spielt wie ein Kind. Je mehr Unglück, je verwegner drauf los. Mach' fort, muß nach meinem Korb' sehn, daß mir ihn niemand wegputzt.

(ab)

Keller.

Ha ha! Der Faust draus! Gut, daß ich's weiß, den Augenblick soll das der Magister droben im Zimmer erfahren; der erkundigte sich gewaltig nach ihm, setzt ein gut Trinkgeld.

(Bringt Brod und Wein, ab.)

Fausts Vater.

Will auch keinen Tropfen eh genießen, noch den Gaumen erfrischen am Labetrunk, bis ich's weiß. Da ist er ja. Gott mit dir, Wagner!

Wagner (stutzend).

Ihr hier, Vater Faust? Willkommen! Wo führt euch Gott am Abend her? Grad' von Sonnenwedel? Wie geht's mit der Gesundheit?

Fausts Vater.

So! Es will nicht mehr recht voran, hier und hier auf der Brust und in den Füßen... Was ist zu machen, lieber Junge! Das Alter kommt.

Wagner.

Ay ihr habt noch ein frisches Ansehen! Seyd ja noch im besten Thun, erst an der Schwelle des Alters.

Fausts Vater (lächelnd).

Lieber Junge, das spricht sich nicht weg. Ich fühl's am Besten, wie's weicht. Setze dich her zu mir.

Wagner (sitzt nieder).

Was macht Mutter Hanne, euer Weib?

Fausts Vater.

Was macht sie! Härmt sich eben auch ihres Sohns wegen, wie ich. Wir hörten der Tage viel Schlimmes von ihm. Wie siehst du aus, Junge? Ich weiß nicht, du bist doch der alte Wagner noch? Da! Iß von meinem Bissen und trinke aus meinem Glas: und sag' mir auf deine Seele die Wahrheit, wie's mein Johann hier treibt. (Bricht Brod und gibt ihm) Daß ich dir trauen darf! (Schenkt ihm ein) Frey heraus, wie ein ehrlicher Junge: Wie geht's mit der Erbschaft? Wir hören, daß er sie verpraßt, verthut, ohne unser und seiner Anverwandten mehr zu gedenken.

Wagner.

Ihr fragt auf einmahl viel, Vater Faust!

Fausts Vater.

Nu! Eins um's Andre. Zuerst sag' mir, ist er noch wohl?

Wagner.

Ja.

Fausts Vater.

Das freut mich. (Steht auf und nimmt den Stock) Komm', führ' mich gleich zu ihm in sein Haus; ich muß ihn sehen.

Wagner.

Jetzt ist er nicht anzutreffen, ist ausgegangen.

Fausts Vater (setzt sich).

So wollen wir warten, bis er nach Haus kommt. Trink' eins, jetzt will ich auch eins trinken, da er wohl ist. Ach, er weiß nicht, was er mir und seiner Mutter seither für Kummer verursacht. Tagtäglich liegt sie mir seinetwegen in den Ohren. Da kriegen wir einen Brief über den andern von unbekannter Hand, worin uns zu wissen gethan wird, wie er die Theologie verlassen und sich der Nigromantia, heißt zu deutsch, Schwarzkunst oder Teufelsbannerey mit aller Macht zugewendet. Ich erschrack in meinem Inwendigen, da ich das las und Mutter Hanne fiel gar in Ohnmacht darüber. Seitdem hat sie dir Tag und Nacht keine Ruhe; wenn sie zu Bette geht, schreyet sie um ihren Johann und spricht: soll ich denn nicht hoffen dürfen, ihn einst im Himmel wieder zu sehen! Hab' ich denn darum ihn unter meinem Herzen getragen! Er vergißt uns, er hat uns wohl alle vergessen! Dann bethet sie und beschwöret alle Engel, alle Heiligen, um ihn zu wachen und ihm beyzustehen. Was ist's doch um ein Mutterherz! Wer kann das ergründen? Nachts, im Schlummer sogar, stößt sie mich auf, wenn ich, von der Tagesarbeit ermüdet, ruhe; steh' auf, alter Vater! schreyt sie, und sieh nach deinem verlornen Sohn! Es ging mir durch's Mark, die ehrliche Mutter so leiden zu sehen. Drum macht' ich mich, trotz meiner schwächlichen Gesundheit, auf den Weg. Trink' doch, Wagner, trink'! Es wird sehr dunkel, rück' ein wenig zum Fenster hin. Es mag meinem Sohn sehr wohl gegangen seyn seither, aber wir, wir haben doch gelitten. Kind, du glaubst nicht, wie kummervoll mein ganzes Wesen ist.

Wagner (wischt sich die Augen).

Daß ich's nicht glaube! O Gott, wie wird's mir auf einmahl vor meinen Sinnen! Welch schrecklich Licht geht mir auf! Wer da?

Strick, Fang, (zwey Gerichtsdiener, und Soldaten treten zur Thüre herein).

Strick.

Keller! Wo ist der Keller? — Er soll herein kommen.

Keller.

Was befehlen sie, Herr Strick?

Strick.

Was Gut's, und geschwind! He! Geb einer Acht, wenn die Bürgerwacht vor's Thor ausrückt, daß man gleich hieher springt und uns avertirt. Wir wollen das Nest voll flücker Jungen ausheben und den Vogel dazu.

Keller.

Ich weiß schon, weiß schon! Will ihm was Gutes bringen, Herr Strick, und hernach auch mit; bin auch gern bey dergleichen Vorfällen, wo's so was gibt. Der Herr Magister! Herr Strick, der Herr Magister ist da.

(ab)

Magister Knellius, Ahasverus, Amsel, Blaß.

Knellius.

Guten Abend, Strick. Frisch auf! Der Faust ist draussen bey ihnen, hört ihr's? Geschwind! Geschwind!

Strick.

Den Augenblick! Wollen nur einen Krug ausleeren und dann dahinter her. Was ist das? (Geschrey und Gelärm auf der Straße) Was gibt's? Schon da? Allo! Allo, Camaraden! Die Bürgerwache!

Knellius.

Tummelt euch! Fangt all' die Schelmenspieler! Oder laßt sie durchgehen, wenn ihr wollt, nur den Faust, hört ihrs! den Zauberer! den Erzschelm! Faust! den fangt mir, und bringt ihn herein!

Fang.

Ja! Aber haben wir denn auch gewiß Ordre dazu? Strick! Wie ist das?

Strick.

Halt's Maul! Komm' nur! Weiß Alles! —

(Strick, Fang, und Soldaten ab.)

Knellius.

Bin wüthig, ihr lieben Freunde! Er muß mir fort aus der Stadt, eincarcerirt, relegirt, beschimpft, geschmäht, und alle seine Camaraden mit ihm! Muß ich mit ihm disputiren? Will's ihm weisen, ob ich muß.

Blaß.

Ja, aber ihr habt ihn doch selbst erst herausgefordert.

Knellius.

Der Teufel ritt mich! Ich mußt' es Ehren halber. Voran, voran! Wenn das Eisen warm ist, muß man's schmieden. Eure Ohrfeigen (zum Ahasverus und Amsel) sollen ihm theuer zu stehen kommen, bitter zu verschlucken! Fort, durch die Straße! Schreyt Weiber, Männer, Bürger, Kinder, Greise, Alles in Lärm! Immer Faust und Brand und Mord und alter Thurm vor'm Thor!

Alle.

Wir wollen.

Knellius.

Aus der Stadt muß er! Will's ihm weisen, ob ich mit ihm disputiren muß! Er soll fühlen, was es heißt, mich zum Feind' zu haben.

(Alle ab)

Wagner.

Wie ist's Vater? Wo seyd ihr im Dunkeln verloren?

Fausts Vater.

Wollt', ich fände mich selbst nicht mehr. O Gott! Gott! Bald werd' ich noch mehr erfahren.

Wagner.

Ein schrecklich Licht mir angezündet!

---

## Nacht.

### Straße.

(Trommeln und Sturmgelaut. Man hört durch die Straßen laufen und larmen.)

Einer.

Mord! Brand!

(ab)

Kölbel.

Wo ist das Feuer denn? (Lauft nach)

Zweyter.

Vor dem Thor! Am Markt drunten!

Dritter.

Gott steh uns bey!

Stimmen: (Lichter zu den Fenstern heraus.)

Was gibt's? He! Was geschieht draussen auf der Straße?

Kölbel.

He! Eckius! Eckius!

Eckius (oben am Fenster).

Was gibt's?

Kölbel.

Geschwind herunter! Deinen Degen mit!

Die Mädchen oben.

Herr Vetter, kommen sie herauf zu uns! Was wollen sie bey dem Tumult?

Kölbel.

Den Augenblick, den Augenblick! Bäschen, laßt euch die Zeit droben mit Herz nicht lang werden.

Eckius.

Nu, was soll's?

Kölbel.

Geschwind! Man will den Faust arretiren, die Philisterwache....

Eckius.

Schwerenoth! Wie? Wo? Man muß das nicht leiden! He! Wo ist er denn?

Kölbel.

Draussen im Thurm. Komm, Komm!

(ab)

## Im Thurm.

### Saal.

Weibsleute, Spieler,

Faust (vorn an einem Tisch würfelnd).

Faust.

Hab' eine ziemliche Portion Gedult, aber da reißt sie aus.

Erster Spieler.

Voran!

Zweyter Spieler.

Die Würfel her. Wer hält dieß Klümpchen?

Faust.

Ich.

Zweyter Spieler.

Drey Fünfter. Passirt!

(Faust zahlt aus.)

Faust.

Noch einmahl! Alles.

Erster Spieler.

Alle Teufel! Der passirt bis Uebermorgen.

(Faust zahlt wieder.)

Faust.

Es ist schon spät. Noch einmahl!

Zweyter Spieler.

Banquo!

Faust.

Banquo für euch.

Zweyter Spieler.

Getroffen! Ich danke ihnen, daß sie mir diese Banquo vor der Nase weggenommen.

Faust (wirft den Becher hin).

Auch nicht einen einzigen Zug die ganze Zeit über!

(auf und ab)

Dritter Spieler.

Brave Kerl, die gut zur Haushaltung arbeiten, mein Weib erwartet euch heut beym Nachtschmaus. Wie? Wie? Was gibt's, Steffen? —

Steffen.

Auf ein Wort!

(Auf die Seite)

Dritter Spieler.

Wenn wir nur noch den Ring und die goldne Kette erwischen!

Vierter Spieler.

Was, was, Steffen? Die Thüren sind verriegelt drunten, Niemand kann herein. (Es klopft) Was für ein Lärm! (Es klopft wieder) Komm mit, wir wollen sehn.

(Mit Steffen ab)

Faust (den letzten Beutel in der Hand).

Der letzte! Das ist Alles. Wie leicht das gesagt ist! Und sollt' ich's noch wagen? Andern hätt' ich Rechenschaft von dieser Summe zu geben, so verächtlich sie mir auch ist. Gut, ich will diesen letzten Beutel noch retten, hinschicken meinen darbenden Verwandten. So wenig, ist's immer noch genug für Einen und den Andern, damit etwas zu erlernen und ein Mann zu werden, braver, brauchbarer für die Welt, als ich; ein Nothpfennig, der einem Genügsamern im Unglück noch trefflich zu statten kommt. (Die Spieler rufen laut) Doch wär's auch Thorheit, gerade jetzt aufzuhören, da mein launiges Glück just sich drehen und mich nachher verlachen könnte. Ich will's noch einmahl wagen, das Verlorne wenigstens wieder gewinnen oder auf dieser Probe vollends zu Grunde gehen! Dann weiß ich auch, was das Schicksal mit mir will und wohin es mich mit Gewalt treibt. (Er geht hinzu, setzt, würfelt, verliert, die Andern ziehen das Geld.)

(Steffen und Spieler kommen bestürzt herein, reden mit einander und gehn alle ab.)

Faust.

Gut! Da müßte sich einer wie ein Mann fassen. (Drückt den Hut in die Stirne) Es liegt noch ein Weg vor mir, trüb und dunkel; doch hab' ich Kraft ihn zu gehen. Nicht länger will ich der gebundne Affe bleiben, der ewig seinem Wollen und Gefühl unterliegen muß, sich sträubt, ohne los zu kommen; ich will's versuchen, mein eigen Schicksal mir vorzeichnen, dem launigen Ding, das diese Welt beherrscht, zum Trotz. Juh! Juh! (Er schlägt mit der Klinge auf den Tisch)

Spieler (zurückkommend mit den Andern).

Herr! Herr! Drunten der Thurm umringt. Man begehrt sie, man fordert sie!

Faust.

Fort, aus meinen Augen, oder ich durchbohr' dich! Wenn du irgend eine andre Gestalt trügst, als die menschliche, wollt' ich dir nicht fluchen. Die Menschen sind mir alle zuwider!

(Der Spieler läuft fort.)

Alle.

Wie ist's? Was sagt der?

Ein andrer Spieler.

Er ist wahnsinnig, laßt den Narren allein sitzen! Die Zimmer wohl verriegelt, daß sie sobald nicht herauf können, indessen wir hinten über den Gang und zum Secret hinunter an's Wasser! Wir kommen so durch, daß kein Mensch weiß, wohin.

Alle.

Gut, gut gerathen! Komnit, Freunde! Kommt!

Stimme.

Faust! Vergiß mein nicht!

Faust.

Mein Genius!

Stimme.

Freund!

Faust.

Wessen Freund?

Stimme.

Dein Freund!

Faust.

Weg, in die Hölle nieder! Ich will keinen Freund!

Stimme.

Dein Feind!

Faust.

Ha! So könnt' ich dich lieben!

Stimme.

Ruf' mir, wenn du mich brauchst.

Faust.

Wie's auch sey! Kommst du mir Hilfe zu leisten: was fürcht' ich mich jetzt an diesem Ort der Schande, dem Tempel zügelloser Sünde, mich dir zu nahen? Hieher gehören solche Bekanntschaften. Ew'ge Dämmerung herrschet hier. Ein Gefängniß der Ehre; der reine Tag dringt nicht unbesudelt durch diese verrosteten Gitter. (Er bläst die Lichter aus) Wohlan denn, ich will im Dunkeln mit dir sprechen! Bin nun vom gewöhnlichen Pfade gewichen. Bist du mein Freund, so zeige mir's; bist du's nicht, so bleibe tief in der Hölle!

(Die hintre Wand geht auf, man sieht hellerleuchtete Klumpen Silbers und Goldes, gemünzt und ungemünzt, in Haufen und Säcken; Juwelen und Kleinodien in goldnen Schranken.)

Stimme.

Die Güter der Welt, die ich meinen Freunden zutheile!

(Der Vorhang fällt zu)

Faust.

Ist's so?

(Die hintre Wand zum zweytenmahl auf, man sieht Kronen, Zepter, Orden, Adelsbriefe auf dem Tisch.)

Stimme.

Die Herrlichkeiten der Welt, die ich meinen Freunden verleihe!

(Der Vorhang fällt zu)

Faust.

Ah! Kronen. . . .

(Die Scene zum drittenmahl auf, man sieht Mädchen in wollustigen Gruppen auf dem Canapee, andre tanzen und singen; eine liebliche Musik läßt sich horen.)

Stimme.

Freuden der Welt denen, die ich liebe!

(Der Vorhang fällt nieder)

Faust.

Eins noch fehlt!

(Der Vorhang zum viertenmahl auf, eine Bibliothek im Hintergrund, vorn die Künste und Wissenschaften, emblematisch in Marmor-Gruppen um eine Pyramide, worauf oben Fausts Bildniß, von der Ehre gekrönt, steht.)

Stimme.

Ruhm und Ehre denen, die mir hold sind!

(Der Vorhang fällt zu)

Faust.

Wo bin ich? Im Wirbel mir selbst entrissen! Ist's Wahrheit, was ich sah oder träum' ich nur und steigen in meiner erhitzten Phantasie diese Bilder vorüber? Aber nein! Ich fühl's durch alle meine Adern hindurch, fühl's, daß es Wahrheit, tiefe Wahrheit ist, bin durchaus ergriffen von diesem Anblick! Wie's in mir lechzt nach dem Besitz, nach dem vollen Genuß! Wie lieb' ich den, der in mir dieß Schauspiel erregt! Wohlan, mächtiger Geist, wo du auch bist, komm! Komm, ganz mir beyzustehn, wenn du's vermagst.

Stimme.

Vermag's!

Faust.

Willt auch?

Stimme.

Blöder, daß du keinen Glauben hast!

Faust.

So komm! Ich rufe dir!

Stimme.

Meynst du, ein Wort, das deiner Lippe entfährt, sprenge die Thore der ew'gen Hölle?

Faust.

Ich verlange nach dir! Komm! Ich wünsche, hoffe zu dir!

Stimme.

Ha! ha! ha!

(Die Scene wird heller, ein in Scharlach gekleideter Fremder tritt herein.)

Fremder.

Verzeih'n sie dem Entzücken, das mich unwiderstehlich hinreißt, sie zu suchen, zu schauen! Ganz den künftig großen, unsterblichen Mann in ihnen zu schauen! Hab' ihre Gedanken über Nigromantia gelesen; ein guter Freund theilte mir sie in Wittenberg mit; das Herrlichste, Reichhaltigste, was je über diese Materie gesagt, gedacht und geschrieben worden. Mir ahndete ihre Physiognomie bey jeder Zeile, so wie sie jetzt vor mir da stehen.

Faust.

Ihr Name, wenn ich bitten darf.

Fremder.

Thut nichts zur Sache; bin ein Physiognom, reise incognito, um so mehr, da ich dadurch die nothwendige Gelegenheit erhalte, zu handeln, zu urtheilen, wie ich's denke und für gut finde; immer im Dunkeln ergründend und forschend, mit dem Bleymaß in der Hand, um auf einmahl, mit neu hervorgegangnen Wahrheiten bereichert, an's Licht zu treten. Welch ein Adel in den Lineamenten! Ein königlich Profil! Diese den Wolken zufliegende Stirne, eine Predigt gegen alle Unterwerfung! Dieser Mund, der über seine Erniedrigung selbst höhnt; der stolze Aufschwung dieser Nase: kein kleiner Mann kann so etwas haben!

(Zieht die Schreibtafel heraus und zeichnet.)

Faust.

Immer war es mein Gedanke, die Summe unsrer innern Wirkungskräfte trügen wir in leserlichen Ziffern in unsern äußern Lineamenten, das Aeußere müsse Dollmetscher des Innern seyn durch die ganze Natur. Das fühlen und erkennen auch die Unmündigen, ja selbst die Thiere; wer sagt's dem Hund, wer dem Kinde, daß sie sogleich verspüren, was sie liebt und dultet? Aber das schiebt mich wieder der Prädestination in den Rachen, schnürt aller handelnden Freyheit auf einmahl die Kehle zu. Sind wir mit diesen Kräften zur Welt kommen? Sind wir auch bestimmt, diese Kräfte gerade so zu brauchen, wie und wohin sie streben? Denn wer will dem vollkommensten Werkmeister eingreifen, wie er die Maschine gestellt? So ward ich wohl zum Columbus der Hölle ausgerüstet und mein Anstand und Bangen vor der That gehört mit in die feinern Federwerke, die das große hingezogene Rad ein wenig einhalten, daß es nicht in Schnelligkeit überspringe. Wenn's denn so ist: was quäl' ich mich, eine That zu wagen, die zu wagen ich schon von Anbeginn der Welt bestimmt war? Mit Nerven hinbewogen, aus Millionen grade der Eine sie zu wagen?

Fremder.

So wage denn und wage denn!
Wer wagt, hat halb verloren!

Faust.

Ha!

Fremder.

So, so ist's Zeit!
Gefahr und Noth ist nicht mehr weit!
Und hin und her und auf und ab
Ruft es und schreitet: Klapp! Klapp! Klapp!
Die Treppen hoch! Die Treppen tief!
Hörst doch?

Faust.

Du erregest Bangigkeit in meinem Inwendigen! Welchen Spiegel zeigst du mir? Du liesest meine Gedanken! Weh mir! Du antwortest mit Blicken, was meine Seele dich fragt! Wie wird mir!

Fremder.

Hätt' ich mein Werk und Kunst vergessen,
Trüg' dann umsonst dieß Kleid mit Tressen.
Horch auf! Horch auf! Es stürmt herauf
Mit Wehren stark, mit Stangen.

Faust.

Bist kein Physiognomus? Ha!

Fremder.

Bin, was ich bin, ha! ha! ha!
Frag' weiter nicht, frag' weiter nicht,
Hörst draussen lärmen? Hopsasa!

(Ein Gelarm und Getöse vor der Thüre, man hort schreyen, fangt den Faust!)

Die Angel bricht, der Riegel bricht;
Es springt und dringt in hellem Hauf
Soldat und Jud' und Bürger auf,
Zu fangen dich, zu fangen!

Faust.

Wohin, wohin? Sag'!

Fremder.

Vertrau' mir wohl, dann kommst mir nach!
Dieß Buch, nimm's hin in deine Hand,
Frey fliegst du über Meer und Land,
Durch Thor und Thür' und Mauer fest!
Willt du's?

Faust.

Gib's her!

Fremder.

Das Allerbest'!
Vergiß ja nicht die Schuldigkeit!
Bist los und ledig.

Faust.

Her indessen!

Alle Teufel (laut).

Sonst kommen wir nach kurzer Zeit,
Ju heya! Brüder, all' bereit
Und hohlen die Intressen.

(ab)

Faust.

Wo Noth uns drängt und Hang uns zieht,
Wie leicht nicht da ein Ding geschieht!

(Die Thüre wird aufgesprengt, Faust durch die Luft davon, Soldaten und Bürger prallen zurück.)

Soldat, Bürger mit Fackeln.

Ist nicht da! Niemand!

Bürger.

Wie? Wie? Kein Mensch und Seel'!

Soldat.

Alle Wetter, es stinkt hier abscheulich!

Bürger.

Die Herrn Studenten stehn all' auf Fausts Seite. Wird jetzt ein garstig Gelärm geben, da wir ihn hier nicht finden.

Soldat.

Wer hat's denn gesagt, daß er da war? Schreyt hinunter, daß Niemand da ist. (Fang und Strick kommen herein) Ein unausstehlicher Geruch! Nicht zum Bleiben. Phu!

Herz (im Weiberrock, den bloßen Degen in der Hand).

Wo ist nun der Faust? Wer hat's gesagt, daß er hier sey? Wer? Satisfaction, ihr Höllenhunde! Satisfaction! Den Augenblick Satisfaction!

Eckius.

Bruder du, voran! Alle Wetter, wie kommst du hierher im Weiberrock?

Herz.

All' eins, wenn mein Freund in Noth ist. Bey'm Element! Satisfaction! Wie, Eckius? Zieh aus.

Strick und Fang.

Ihr Herrn! Ihr Herrn!

Herz.

Satisfaction wollen wir und den dazu, der den Faust angeklagt. Wollen den Schuft kennen lernen, und wenn's auch der Judex magnus selbst wär', der Bube.

Strick und Fang.

Ihr Herrn! Ihr lieben Herrn!

Herz.

Was Herrn, was liebe Herrn! Satisfaction wollen wir, nicht liebe Herrn! Ihr Bengel, seyd ihr's nicht, die den Doctor zu fangen hergekommen? Wie und auf wessen Geheiß kamt ihr her? Wer hat euch angeführt? Wißt ihr, unter wem der Doctor steht? Wißt ihr's oder wißt ihr's nicht?

Strick und Fang.

Wir wissen's, ihr lieben Herrn.

Herz.

Wißt ihr's, Buben? Kerl, laß mir die rußigen Finger von der Brust oder ich hau dir eins über! Ihr Lumpen-Kerls, denen man den Buckel fegen muß!

(Schlägt mit der Klinge nach Strick.)

Strick.

Ihr Herrn! Ihr Herrn! Bedenkt, wer ich bin.

Eckius.

Bruder, halt ein! Was Donnerwetter! Sah dich in meinem Leben nicht so wild, bist ja ganz außer dir.

Herz.

Weg! Er soll gestehn, wer den Faust angegeben, wer ihn beschuldigt! Solch ein Hund, (schlägt immer zu) einen Faust anzubellen! Solch ein Geschmeiß! Wie?

Strick (pfeift).

Holla! Will bald Hilfe kriegen! He! Hilfe!

Herz.

Da hast du noch eins zum Pfif! Noch eins! Noch eins!

Strick.

O weh! O weh! (Lauft zurück)

Eckius.

Laß Bruder! Es ist hier nicht der Mühe werth. Ich weiß schon, wer den dummen Brey angerührt; drunten steht Kölbel mit einem Trupp wackrer Bursche. 's ist niemand anders als der Bube Knellius.

Herz.

Der? Der Maulaffe! Der Lauswenzel? Der mit seiner aus dem Lazareth zusammengekrebsten Leibgarde, der? Meinen Faust prostituiren? Der? Wo ist er? Wo? Wo? Wer? Solch ein Bursch, den die lungensüchtigste Imagination nicht krüppelhafter zusammenstoppeln kann; das non plus ultra von Armseligkeit, der Plauderer, Nichtswisser, die Nachlese des menschlichen Verstandes, der?

Eckius.

Gut, ich will dir darauf antworten, wenn du Lust hast, und wir wollen einen Wechselgesäng zu seinem Lobe anstimmen! Bey mir hat er auch noch im Reff!

Herz.

Wohin sich nur die menschliche Tharheit versteigt! Solch ein Frosch sich gegen solch einen Stier aufzublasen! Es muß heraus, sonst drückt mir's die Leber ab! Seht mir den Burschen, hingestellt mit gebognem Rücken, wie ein Iltis, der Eyer stehlen will oder die Henne vom Dache herab mit lieblichen Sophismen persuadirt: wie er im Comparativo das Netz auswirft und im Superlativo angelt; exempli gratia: Herr Patron, du König der Musen, du Weisester, Holdseligster, Getreuester, Bewährtester, Erhabenster! Oder ist's ein Weib: du Schönste, Holdseligste, Schwester der Grazien, Tochter der Venus, Ambra und Lilien, Rosen und Bisam! Himmel! Und solch ein Bengel, solch eine zusammengestohlne Kleiderpuppe soll einen Mann scheeren und ein ehrlicher Kerl soll's ansehn und dulten und nicht Rattenpulver nehmen, aus so einer elenden Welt heraus zu kommen, oder den Hund nicht aus aller Gesellschaft heraus wenigstens prügeln? Wie? Ein Magister, dem man seines Unverstandes wegen wieder die Hosen abziehn und seiner Bosheit wegen ein Paar eiserner Kniebänder anlegen sollte: solch ein Kerl wird angehört, darf Gesellschaften besuchen, findet Gönner und Patrone, darf laut sprechen, kann andre brave Bursche oben drein noch scheeren, kann einem Faust wehe thun! Solch eine Bremse dem edeln Roß aufsitzen! Der Nichts ist, wenn man Nichts theilen könnte, auch nicht einmahl der zwanzigste Theil einer Nulle! Solch ein Ding, das in allem zusammengekehrten und auf's Höchste angeschlagnen Werth neben dem Faust hervor leuchtet, wie der schmutzige Pfennig auf eines Tollhäuslers Hand gegen die Schaumünze, die einer edeln Frau an dem Busen schwimmt.

Eckius.

Brav gespieen! Bist du fertig? Hätte mir einer die Rede auf dem Papier gewiesen, und dabey gesagt, der dicke ruhige Herz hätte sie gehalten, ich hätt' ihm unter die Nase gelacht. Kerl, wo hast du die Galle gekauft?

Herz.

Ihr Hunde, seyd meine Apotheker! Ihr verkauft mir Galle Centnerweis. Ich will jetzt wissen, was man mit Faust will; will den Magister hervor haben und sollt' ich ihn am Flügel unterm Bett' hervor ziehen. Er soll reden, antworten, ich will an Fausts Statt stehen und vertheidigen. Wer kein Schurke ist, verläßt mich nicht in solch einer Sache!

### Eckius.

Der bin ich nicht! Allons dann, Herr Pikenträger, ich folge dir in der ganzen Simplicität meines Degens. Dicker Narr, was er anfangen will? Narr in Eckius Sold!

(ab)

### Ein Schuhmachersweib.

Wo ist denn der Faust? Wo ist er? Wo? Will ihm das Bein aus dem — — rupfen! Für was saffianene Schuhe und kein Geld zum zahlen! Wir arme Handwerksleuthe, sauern Schweis und Mühe. Wie? Wie? Der Lumpendoctor! Der Erzlump! Schaft mir ihn, hört ihr's, ihr Strick, ihr Fang! Wo ist der Doctor? Wo ist er?

### Fang.

Närrin, in den Hosen! Fragt bey'm Schneider nach. Macht doch kein solch Geschrey! Sucht ihn selbst, wo er ist, seht ja, daß er nicht da ist. Gelt, hast wüste Püffe kriegt, Strick?

### Schuhmacherin.

Ausreißen Bein' und Füß', woran mein Mann all' seinen sauern Schweis verwendet, das Hemd vom Leib reißen will ich auf öffentlichem Markt dem Leder-Wolf! Leder-Dieb!

Strick.

Geh zum Teufel, dummes Vieh!

Schuhmacherin.

Ihr Hunde! Ihr Bengel! Ihr Esel!

(Fallt ihm in die Haare, Fang stößt sie zur Thüre hinaus)

Fang.

Hinaus, du Sau! Fort mit dir!

(Eine Stimme von aussen)

Herr Strick! Herr Fang! Geschwind herunter! Die Studenten treiben auf dem Markt erschrecklichen Unfug. Ihr sollt kommen, Herr Magister Knellius läßt um Beystand bitten.

Fang.

Bravo, wenn's nur über den recht los geht! Hat doch all' den Teufel angefangen.

Strick.

Wir kommen, sagt nur, wir kommen gleich! Fang, s' geht heut Alles links, Alles, Alles durcheinander! Wer hätte gedacht, daß es so wär'? Die verfluchten dummen Kerls! Daß nur die Gicht in ihre klotzigen

Augäpfel schlüg'! Zu behaupten, der Faust sey hereingegangen! Sakerment, mein Rücken! Der Hund, wie er mit seiner Klinge zuschlug. Hörst! Hörst! Wie's in der Straße tobt und lärmt! Der Teufel kommt allemahl quer in's Spiel.

Fang.

Ja wohl, Müh und Arbeit genug, aber nichts zu beuten und zu fischen. Das war übel ausgedacht, guter Strick! Lern' ein andermahl die Sache besser einfädeln. Ich wollt', daß es der Henker hätt'! Mitgehn muß ich, mein Amt begehrt das; aber ich will meinen Rücken mit einem Kissen ausstopfen und meine Brust mit einem Buch Fließpapier belegen. Guter Freund, das Beste wär, wir hätten unsre Nasen gar nicht in all' diese Händel gesteckt.

Strick.

O komm' mir jetzt nicht mit deiner verdammten Weisheit hintendrein! Laß uns sehn, wie wir's besser machen und diesen Verlust in Gewinn umkehren. Frisch auf!

(ab)

---

## Nacht. Gelärm.

(Marktplatz, worauf ein Springbrunnen steht, oben drauf Knellius, und unten um den Brunnen seine Trabanten. Studenten. Eckius, Herz, Kolbel.)

Knellius.

O weh mir! Still doch ihr Herrn! Nur meine Stimme, nur ein einzig Wort! Haltet ein! Gebietet doch eurer Wuth!

Herz.

Was soll's denn?

Knellius.

Ich bin nicht schuld, hab' keine Schuld, trage keine Schuld, bin wie ein Kind im Mutterleib an all' den Händeln! Leider! Leider! Hört mich nur an!

Herz.

Du bist ein Bärenhäuter!

Knellius.

Seyd doch nur Christen-Menschen! Was sag' ich? Musen-Söhne, Herr Herz, habt doch Barmherzigkeit und ernstlichen Willen!

Studenten.

Den haben wir.

Knellius.

Gott sey Dank! Habt ihr? Habt ihr?

Herz.

Ernstlichen Willen, dich zu prügeln.

Knellius.

Meine geehrten, geliebten Herren, meine Gönner und Mäcenaten!

Studenten.

Was wollen wir mit ihm anfangen? Hört ihr's, wir wollen ihn einseifen, die Haar' abscheeren, ihn auf eine Mistbahre setzen, hinten und vorn Licht darauf, und ihn so vor seiner Dulcinea Thüre bringen!

Ein andrer.

Ja! Ja! Und eine Kerze in die Hand! Und dann soll er öffentliche Abbitte thun allen den Autoren, an denen er sich schon vergriffen.

Ein andrer.

Schneiden wir ihm eben gleich Nasen und Ohren dazu ab, s' geht ja in Einem hin.

Knellius.

Ach ihr harten Herzen! Ihr Herzen von Stein und Alabaster! Bey den linden Grazien, die euch rühren, bey meinem erhabnen Apollo! (zittert)

Student.

Deinem Apollo?

Herz.

Kennst du den Apollo?

Eckius.

Kriegst Zwanzig auf die Hosen, wenn du ja sagst.

Herz.

Kennst du den Apollo?

Knellius (zitternd)

Ach ich kenn' ihn doch gar nicht!

Herz.

Seht ihr's, seht ihr's! Der Schuft, so wird er's auch seinen besten Freunden machen, über ein paar Prügel alles ohne Rücksicht läugnen! So viel vom Apollo zu schwätzen und doch nicht einmahl so viel Mannheit, seinetwegen ein halb Dutzend Prügel auszuhalten! Er muß gewammt werden.

Knellius (den Arm in die Höh)

Bey allem, was theuer ist, bey den Sternen! O großmüthiger Herz!

Alle.

Herunter mit ihm!

Knellius.

Unrecht geschieht mir, himmelschreyendes Unrecht! Wenn ich nur durchgehen könnt'. . . Himmelschreyendes Unrecht! . . . Wenn's nur nicht so hoch wär'. . .

So Unrecht, ach ihr Sterne!... Mußt' mich denn der Teufel reiten, hier auf den Brunnen herauf mich zu retiriren!

Studenten.

Wart! Wart! Mit Koth wollen wir ihn herunter feuern!

Knellius.

Was fang' ich an? Sie werfen mich zu Tod. Helft doch, meine getreuen Camaraden dort unten, bitt' euch, steht mir doch bey gegen diese Centauren, fangt einen Streit an, daß ich durchwitsche. Wenn ich nur drunten wär'! Ach, ist ein verfluchtes Wesen, so hoch! Fangt an! Schlagt zu! Laßt euch prügeln, hauen, todtschlagen, daß ich durchkomme. O weh! O weh! Die Memmen! Hat man noch solche abscheuliche Memmen gesehen? In Noth und Tod erkennt man den Freund, da wird man's gewahr! Wollt ihr noch nicht anpacken, ihr Hasen? Wie sie da stehn! O abscheulich! Muß einen coup d'esprit machen, vielleicht gelingt mir's. (Laut) Faust! Faust! Faust! Der göttliche unsterbliche Faust!

Alle.

Was soll das? Was willt du mit ihm?

Knellius.

Ach daß er selbst da wär', der Treffliche! O du großes lumen mundi! Ach meine Freunde! Wie könnt ihr nur glauben, daß ich jemahls diesem ganz unvergleichlichen Menschen, diesem herrlichen Genie zu nahe gethan? Ach wehe! Dieser Gedanke allein zerspaltet mir das Herz. Sehet auf meine Redlichkeit, lieben Freunde, Thränen der Empfindung treten mir in dieser Minute über die Augen; daß es doch Tag wäre, sie zu schauen, daß der große Phöbus sein Antlitz vom Himmel herab drinnen spiegeln könnte. Ihr meine Werthesten! Ich beschwöre es euch, er ist mir so theuer, so theuer! Ich erkenne seine Uebermacht ganz, glaube an ihn als einen Gott, ein ätherisches, überirdisches Wesen.

Herz.

Der Teufel predigt Gottes Wort und meynet uns damit zu verführen. Wie, bist du nicht Schuld daran, daß die Obrigkeit ausgeschickt, ihn im Thurme zu greifen? Verläumdetest du nicht seinen guten Namen, indem du ihn einen Betrüger und noch schlimmer schaltest?

Knellius.

Ich? That ich das? Wie kommt ihr dazu, meine Freunde! Das that ich nie!

Alle.

Ja, ja, wir wissen's! Hast Plane gemacht, ihn aus der Stadt zu vertreiben, hast die Juden aufgehetzt, hast an andre Orte Briefe voll des schändlichsten Inhalts gegen ihn geschrieben, ihn als einen nichtswürdigen, boshaften, gefährlichen Menschen, als ein Scheusal gemahlt.

Knellius (zitternd).

In meinem Leben nicht!

Alle.

Beschwör' es, wenn du das Herz hast.

Knellius.

Sehr gerne, sehr gerne, ich schwör's hoch und theuer.

Eckius.

Bey was schwörst du denn?

Knellius.

Bey dem theuersten Kleinod, bey meiner Ehre!

Herz.

O ho! Grad als wenn unser einer auf sein eigen Haus schwören wollte. Wie kannst du auf den Besitz eines Dinges schwören, das du nicht einmahl kennst?

Knellius.

Wie denn? Herr Eckius! Herr Herz! Was denn? Meine geehrten Herrn! Bey was soll ich denn schwören?

Herz.

Bey deiner eignen Schurkheit! Hörst? Schwör' bey deiner Unwissenheit, bey deiner Unverschämtheit!

Studenten.

Er soll jetzt kurz und gut bekennen, was er schon für gelehrte Diebstähle begangen, er soll alles Haarklein bekennen.

Knellius.

O weh! Hilfe! Hilfe! Mir entgeht die Luft. Hört ihr's dort unten, Camaraden! Wie komm' ich durch? Lieber lass' ich mich todtschlagen, lieber mich gleich in Stücke zerreißen! Wie? Wie? Ihr Gänsköpfe! Ihr lieben guten Camaraden! Daß euch der Teufel hätt'! Wollt ihr nicht helfen? Seyd ihr denn ganz von Sinnen und Muth? Greift an! Greift an! Packt an!

Der Einäugige.

Was sollen wir denn angreifen? Es geht nicht, Herr Magister! Sie sind uns überlegen. Ergebt euch als ein guter Philosoph geduldig drein.

Stollfuß.

Thut das, lieber Magister! Zeigt ihnen eure Superiorität. Leiden ist Kraft, lieber Magister!

Knellius.

Daß ihr die Pestilenz mit eurer Kraft und Philosophie! Soll ich mir den Bauch aufschneiden, daß mir die Därme vor die Füße fallen, wie ein japanischer Minister? Ich mich drein ergeben? Helft mir herab! O weh! Eins in's Gesicht, o weh! Ahasverus, nimm mich auf die Schulter, du bist stark und groß, trag mich fort.

Ahasverus.

Ha — ha — ha — hab's Herz ni — ni — ni — nicht!

Knellius.

O weh! O weh! Wieder eins an die Nase! Ihr guten Camaraden, seyd doch keine Bengel, und helft mir!

Die Camaraden (heimlich).

Die Verzweiflung schimpft aus ihm. Wie wollen wir helfen? Hört ihr's, Herr Magister! Springt von oben herunter, wollen euch dann durchhelfen, springt zu, ihr seyd hübsch flink und lüstig.

Knellius.

Ach, den Hals brechen, nicht wahr? O weh! Gott steh mir bey!

(Springt herab)

Die Camaraden.

Lauft zu! Lauft zu, Herr Magister! Was das ein Sprung war, ein Schneider hätt' ihn nicht besser thun können, ein Schwung! Lauft zu, Herr Magister! Habt ein wohlgezimmertes Bein! Lauft zu! In aller Teufel Namen: lauft!

(Knellius davon mit seinen Camaraden, die Studenten alle nach.)

Studenten.

Auf! Auf! Auf! Wollen den Dachs bis an seinen Bau hetzen!

(ab)

Herz.

Hurra! Hu sa sa! Hinten drein, ihr braven Camaraden, wir wollen nach und den Spaß zu Ende sehen. So muß man sie zu Paaren treiben, so den Burschen auf die Nase gehen, wenn sie ein Bißchen zu weit sie vorstrecken. Heute gefallen mir unsre jungen Degenpüppchen wieder einmahl! Hurra! Hurra!

Eckius.

Was der dicke Kerl lärmt, als hätt' er mit dem Herkules den Stall misten helfen! Ha! Ha! Ha! Zum Kranklachen!

Herz.

Jetzt will ich mein Panier aufstecken.

Kölbel.

Herz! Eckius! Haltet ein, kommt jetzt wieder mit zurück, wir haben daheim Gesellschaft sitzen, die unsertwegen da ist; oder wenn ihr nicht wollt, so geht meinetwegen allein, aber verübelt mir nicht, wenn ich euch verlasse.

Herz.

Wie so? Es ist wahr! Camaraden, ihr könnt mir's attestiren, hab' gethan, was ein Freund dem andern schuldig ist. Der Faust muß zufrieden seyn. Leid thut mir's in der Seele, Brüder, wenn einem, der mir lieb ist, etwas zu nahe geschieht. Als ihn heute die bärtigen Halunken so adamisirt, hohl' mich der Teufel, es stach mich... Wenn ich kein so geldscheues Luder wär', wollt' ihn auf der Stelle ausgelöst haben; aber dieser Degen ist mein Alles, und der ist mir nothwendiger, als dem Roß sein Schweif, sich damit die Fliegen vom Leib zu wehren. Laßt es denn für dießmahl genug seyn und den Kerl sich für's Künftige Vorsicht aus diesem Pfeffer abstrahiren. Wohlauf!

Kölbel.

Es ist Zeit, daß wir die Mädchen jetzt wieder in's Wirthshaus zurückbringen. Es schickt sich für honette Mädchen nicht, wenn's später in die Nacht dauert.

## Herz.

Huy! Spricht so mein Hühnchen? Honette Jungfern! Weiß her einmahl die Finger, muß doch sehn, wo diese Honettetät auf einmahl gewachsen. Sag' mir Keiner was! Cupido kuppelt dem Hymen und der macht wunderliche, dumme Augen und schielt wie ein Widder, dem die Hörner über die Ohren hervorgewachsen, auf die Seite. Der Bube ist ein guter Maurer und Zimmermann und schlägt das Häuschen Unehre so nahe an der Nachbarin Ehre Haus, daß man aus einem Laden in den andern ungesehn hineinschlupfen kann. Sieh, wie auf einmahl Rosen auf dem Mist grünen! Ein Ringlein an deinem Fingerlein hat die ganze Sache gedreht, ha! ha! ha! Diese Mädel waren heut Morgen noch lustige Dirnen, Nymphen, die um Mitternacht heimwatscheln ohne Laterne, so an eines gesunden Bruders Arm; und nun auf einmahl Damen Wohlstand, die mit dem Glockenschlag Neun zu Hause erscheinen, damit sie die Suppe nach angestammtem Brauch im Löffel abblasen mögen. Wie geht das zu? Weis' her dein Fingerlein! Guck, blinkt doch ein Bißchen Sternglanz daran. So ein Ringlein... so eine Pränumeration.... Heut zu Tage, da Alles pränumerirt und sich pränumeriren läßt... Pränumeration! Pfuy, ein obscönes Jahrhundert! Sie haben's von der Theis und Phrine gelernt.

Eckius.

Es ist immer gut, wenn wir die Mädel nach Hause schaffen, wir können nachher noch ein Bißchen herumziehen. Mir ist's heut gar nicht um's Trätschen.

Herz.

Bin alles zufrieden! Lieben Kinder, ich für mein Theil freue mich mehr, wenn Andre sich belustigen. Das Weib ist mir lieb, aber ein guter Camarad doch noch lieber. Einem schönen Weib zu Lieb' steh' ich früh auf, aber einem guten Freund geh' ich tief in die Nacht. Nun führt die Mädel nach Haus. Fort! Und kommt bald wieder!

Kölbel.

Aber wie halten wir's mit dem Alten?

Eckius.

Ist schon abgeredt. Wie es Neune schlägt, kommt eine Sänfte und trägt ihn nach Hause.

Kölbel.

So wollen wir voran, fort, und die Mädchen derweil, eh er kommt, nach Hause begleiten. Eckius, komm! Sie haben Beyde die Mäuler am rechten Orte sitzen, den Alten, wenn sie wollen, blind und taub zu schwatzen.

Herz.

Dafür sind sie Mädchen. Wenn ihr Faust begegnet ... ich könnt' euch wunderliche Dinge erzählen, was man hier und da von ihm sich in die Ohren raunt; aber ihr wißt, wie es geht: Ammen erzählen Mährchen, Kinder und Narren glauben sie. Aber im Grund' möcht' ich's doch ergründen ... ihn wieder einmahl so ganz genießen! Ich weiß nicht, wie es kommt, die Menschen sind nicht mehr so gesellig und verträglich. Wenn ich bedenke, wie der war und der Faust! Reiß mir doch hier die Kordel entzwey, der Weiberrock zerschneidet mir die Lenden abscheulich.

Eckius.

Was sagt man denn von dem Faust? Du mußt doch immer von ihm reden. Dein Alles! Hat er den Lapis endlich gefunden, an dem du ihm auch suchen halfest? In dieser Situation könnte er ihm die besten Dienste leisten.

Herz.

Ey daß dich das Wetter! Was Lapis? Ihr Hunde, zu was ich mich nicht euretwegen gebrauchen lasse! Arm' und Beine thun mir weh!

Kölbel.

Wieder gut, alter Papa, liebe Mama? (Küßt ihn) Stehst in der Toga mit dem bloßen Degen da, so ehrwürdig, wie die gemahlte Gerechtigkeit.

Herz.

Heraus aus der Tonne, alter Philosoph! (Hängt den Rock an den Degen) Wart, ich will eine Fahne draus machen, so so! Wie's schwebt! Nun, ihr Jungen, schwört unter meine Fahne, ich will den König Priamus im Puppenspiel vorstellen, der sich gegen den Anmarsch der Griechen rüstet und alle seine fünfzig Buben unter Helenens Schürze schwören läßt. Dort droben die himmlische Bartschüssel, der zahnlückige, tiefäugige Mond, an den poetische Narren ihre Verse und verliebte Mädchen ihre Seufzer nageln, soll Zeuge seyn.

Eckius.

Eine sehr respectable feyerliche Verschwörung.

Herz.

Natürlich! Aus vollem Halse hergeschrieen mit einer Baßstimme zum Untergang eines halben Dutzend Bouteillen. Seht ihr's, diesen Rock wollen wir zum ewigen Andenken dieses Tags aufspoliren, meine Wirthin mag schauen, wo sie einen andern herkriegt.

Faust (herzutretend).

He da! Rollen ausgetheilt und mich vergessen, alter Priamus? Wer bin denn ich unter deinen Söhnen?

Herz (ihn umfassend).

Du? Du? Ha Schelm aller Schelme! Lieber, leibhaftiger Faust! Das Glück will uns wohl, da es dich von Ohngefähr zu uns herschickt. Sag', wo bist du geblieben, herumgejackelt, seit acht Tagen? Mein Seele! Habe nach dir geschmachtet, bin vor lauter Sehnsucht nach dir gebraten. Sie haben dich schön ausgesäckelt heute; siehst du, jetzt bist du wieder einer unsers Gleichen und ich darf dir auch wieder einmahl eine Bouteille vorsetzen. Das Canaillen-Lumpenpack! Der Knellius! Der tausend Sak...! Aber still! Hörst du, wir haben feine Arbeit gemacht, dort am Brunnen ihn balbirt. Meynst du, er will nicht mit dir disputiren morgen, vor des Teufels Gewalt nicht, aber er muß! Sonst decken ihm die Studenten das Haus ab. Muß! Ha! ha! ha! Da soll er völlig geplöst werden! Komm, Junge! Herzenspuppe! Ajax! Achill! Bleib' bey uns, will dir eine Lobrede ziehen von hier bis Pecking und eine Furche daneben von lauter bittern Vorwürfen, daß du unser einem nicht mehr so zugethan, wie zuvor. Der Teufel reit't mich, daß ich dich so lieben muß! Vor einer Stunde etwa erfuhr ich's, daß man dir auflaure; ein Schelm, der einen ruhigen Augenblick seitdem genossen.

Faust.

Laß die Narren machen! Ich weiß Alles. Eure Soldaten sind doch nur gute Pikenträger und eure

Bürger gute, einfältige, gewerbsame Leutchen. Wir haben auch einen guten Genium! Drück' zu, Herz! Wer sagt, daß er eine redlichere Faust in seinen Händen gehalten, als ich jetzt, der ist ein Erzlügner.

Herz.

Geh', du hast mich behext! Tausend Vorwürfe wollt' ich dir machen, und jetzt: keinen einzigen! Sieh, wie ich da steh', gleich einem herumziehenden Bänkelsänger, der seine gemahlte Fahne in die Höhe trägt; Alles deinetwegen. Es soll einer kommen! Soll kommen einer, der dir was zu Leids will! Ich mit Leib und Seel'. . . Du kennst mich! Oder frag' die da. Fort! Fort, ihr zwey! Jagt nur jetzt die Mädel nach Hause, sie können unter die Decke kriechen und von ihren Liebschaften flüstern. Wir haben was Besseres heut, muß einmahl wieder eins mit unserm lieben Doctor schlampampen. Herzens-Jungen, wir wollen Victori! und: Vivat Doctor Faust! durch alle Straßen brüllen, daß den übelgesinnten Hunden darüber die Ohren gellen sollen! Die ganze Universität steht mir bey. Will dir hernach auch die schnakische Scene mit dem Knellius am Brunnen dort, wie er einer gehetzten Katze ähnlich droben saß und nicht herunter konnte, vordeklamiren. Ach, das wird dich erquicken. . .

Faust.

Und heben wie eine Feder in die Luft! Aber dießmahl nicht; auf ein andermahl behalt' ich mir's vor, guter, biedrer Herz.

Herz.

Dießmahl nicht? Willt du nicht bleiben?

Faust.

Nein. Ich muß. . . Laß mich!

Herz.

Was mußt du?

Faust.

Grillen! Nichts, nichts, sag' ich. Frag' nicht darnach. Wer will denn auch Alles sagen, was im Hirn herum geht, da unsere Ideen und Gefühle so fest in einander greifen, daß es oft schwer hält, uns selbst ganz deutlich zu werden? Fleisch und Geist wirken oft gegeneinander. Geist und Gefühl! Wie viele Uebergänge werden erfordert, bis diese Heterogena harmonisch sich nahen und Wollen und Vollbringen, das Alpha und Omega menschlicher Erkenntniß und Kraft, sich auf einem Punkt fest in einander gleichen? Und dann, ist es so weit auch nur: wer bürgt uns, daß Kräfte ausser uns, gegen unsre Plane ankämpfend, uns des Kranzes am Ziel nicht noch berauben? Laßt mich! Ich habe Dinge hier . . . . dieser Schädel ist ein enger Raum . . . . es gibt Wesen, unsre Sprache reicht nicht zu, Alles zu umfassen! Wenn ein neues Werk hervorgeht, da steht der gaffende Pöbel und wundert sich und spricht und deutet mit den Fingern; eher hat Witz und Genie ein Ding zur Welt gebohren, als die Sprache ein Wort gefunden, es zu taufen. Warum soll ich denn meine Gedanken in Worte skizziren, ehe noch die Möglichkeit der Vollendung mir klar vor dem Sinn' liegt? Oder wenn sie hier zur Reife gehen, sie gleichsam mit Worten erst schänden? Weg denn! Wer nach mir lebt, kann sagen, der war er! Aber ich werde, so lange das Blut diese Adern wärmt, nicht vor einer großen That zagen.

Herz.

Wie? Du kommst ganz aus dem Geleise, Bruder! Was willst du damit?

Faust.

Es geht in mir Alles herum! Gut denn. Warum ich euch bitten wollte, oder vielmehr, da alle Complimente zwischen uns Mißlaute sind, was ich jetzt von euch begehre, ist in gewisser Absicht für euch eine Einladung auf einen Schmaus; ich würde gewiß mich des Vergnügens nicht berauben, selbst dabey Wirthsstelle zu vertreten, hielten Dinge, die mich nun einmahl ganz übermannen, mich nicht so fest. Vor einigen Tagen erhielt ich ein Schreiben, das mir die Ankunft eines wahren Wundermenschen hierher berichtet, eines Menschen, der bey vollkommner, unverdorbner Leibes- und Seelen-Kraft, bey der reinen Simplicität des Patriarchen, beym vollen Gefühl der Natur, bey der Eigenheit und Gradheit seines Sinnes, kurz, bey Allem, was herrlich und groß ist, doch zugleich Biegsamkeit und Herablassung genug besitzet, alle Mischungen der Charaktere und Temperamente, vom stärksten bis zum schwachen herab, wirkend zu umfassen, und Weltkenntnisse genug, alle Modificationen verstimmter und herabgewürdigter Menschheit zu behandeln; der auf alle Stände ohne Unterschied wirkt, dem der Bettler und König nur als zwey Menschen da stehn, ohne doch darüber das Verhältniß zu verlieren, das nothwendig Beyde von einander drängt; dem der Zerbrecher an der Stirn, der Brechbare auf der Zunge sitzt, kurz, dessen kleinstes Haar an seinem ganzen Leibe gewissermaßen schon bedeutungsvoll ist; der die Menschen mit seinen tief eindringenden Blicken zittern machte, weil alle vor seiner Sonne nackend stünden, wenn nicht Bescheidenheit und Sanftmuth und Wohlwollen wie ein leise gefalteter Flor sich dreyfach umher wölbten, den zu mächtigen Glanz zu mildern.

## Eckius.

Wie? Dieß Monstrum wird hier zu sehen seyn? O ho! Drey Batzen für meinen Eintritt! Das wird doch über die Weile gar der Kerl nicht seyn, der uns heut aufstieß, Kölbel? Weißt du, in den Tolpatsch-hosen? Wie heißt er doch?

Faust.

Gottesspürhund.

Eckius.

Der Nämliche, ha! ha! ha! Sagt' ich's nicht gleich, Kölbel! Ein Hans Prätension. Die Miene, die er mir machte, da ich nicht gleich vor ihm in Entzücken gerathen wollte! Bruder Doctor, wie ich da bin, der Länge nach von Fuß bis zum Kopf, stand ich hart an dieser Sonne, ohne in Kalk oder Glas zu schmelzen. Ha! ha! Der also? Der das Wunderthier? Die Säule Herkules? Der? Der? Wart, ich will ihn quälen, mein Innres bewaffnet sich ganz wider solch einen Lümmel.

Herz.

Ueber eines Fremden Gesicht gleich so in Convulsionen zu gerathen! Was hat er dir gethan?

Eckius.

Nichts! Das ist mein Tod, wenn ich Nasen seh', die in den Wind steigen und meynen, sie röchen Alles allein; in den Falten der Stirne, in den Blicken der Augen, in ihrem Tone zu reden, so selbstgefällig und überzeugt zu verstehen geben, sie erkennen sich für eigentlich große Helden! 's ist zum Rasendwerden! So was kann mich fluchen und schelten machen wie ein Weib, oder im ersten Wurf einen solchen anpacken und abpeitschen machen, wie einen kleinen Infimisten. Pfuy! Pfuy! Solche Bürschchen herunter zu bringen, das ist mein Labsal, mein Instinct treibt mich auf sie los, wie den Windhund nach dem Haasen. Wart! Wart! Will ihn zwingen, all' die Brocken selbst zu schlucken, die er andern vorgeschnitten in der Tasche trägt.

Kölbel.

Nur auf diesen Punkt, da hat man dich gleich wieder lebendig, wenn du auch wie ein melancholischer Uhu da sitzest. Das ist so deine Steckenreiterey: keines andern Uebermacht über dir zu erkennen.

Eckius.

Will keinen Jupiter über mir! Beym Teufel, kein braver Kerl duldet das. Was man einem Andern zulassen mag, das Höchste: ebnen Bodens mit uns selbst zu stehn. Und da muß mich einer noch wüst drängen, bis ich ja sage. Gutwillig jemand als einen Gott über sich erkennen, kann nur im Grund' ein schwacher Tropf!

Kölbel.

Nur nicht zornig!

Eckius.

So viel dazu gehört, eine Schnepfen-Pastete anzuschneiden. Wie, was ist denn des Helden seine Bestimmung? Worauf zieht er denn auf Erden aus?

Faust.

Eigentlich auf einem Schimmel.

Eckius.

Wie? Die Beine hüben und drüben auf dem Sattel, wie andre gemeine Erdenklöße? Und macht er nicht auch den Apostel? Ich habe mir von einem erzählen lassen, der zur Veredlung und Vervollkommnung der Menschheit ausritt. Gut, wir wollen bis morgen genauer wissen Alles, was er will und thut. Jetzt Adies! Willst du mit mir, Kölbel, so helf' ich dir die Mädel auch nach Hause patschen; wo nicht, so laß es bleiben. Motion muß ich mir jetzt machen.

Kölbel.

Komm, komm!

(ab)

Eckius.

Die Seekracke! Ha! ha! ha! Zum Kranklachen! Adies, Faust!

(ab)

Faust.

Leb wohl, alter Bursch!

Wer sich am Springen kleiner Fische im ebnen Teiche oder am Surren bunter Fliegen oder sonst so leicht noch ergetzen kann, wie glücklich ist der, wie still und ruhig seine Seele! Der Abend lächelt ihm golden herauf; die bewegten Erlen schwanken ihm aus braunen Wipfeln süßen Hauch; er liegt beym Rieseln des Wasserfalls nieder und schläft, bis ihn die Stille der Nacht weckt. Froh hüpft ihm das Herz durch die Augen und durch jede Miene dringt heitre Freude hervor, wie durch das Antlitz des blauen Himmels, wenn er über ruhigen Fluthen sich spiegelt. Alles, Alles schenkt seiner Seele Glück; grünende Fluren mit weidenden Lämmern besäet, Bach, Hügel und Haiden, die ganze Natur schließt ihm ihre Vorrathskammer auf, ihn an den mannigfaltigsten Schätzen zu vergnügen. Auch ihre Seltenheiten zeigt sie ihm; in eines jeden Menschen Angesicht legt sie für ihn besondern Antheil und Vergnügen und verschafft seinem beobachtenden Geist immer neue Nahrung. Er ist der Sohn des Glücks, vollkommen in seinem Daseyn und Genuß, hingelegt in Wollust an die Brust der Natur. Aber wehe, wer immer den sauern Drang hinaufwärts fühlt; immer mit den Gedanken droben, immer hinauf kämpfend und streitend mit sich selbst, die schwere Pilgrimschaft dieses Lebens beginnt! Er vergißt wohl ganz die süße Mutter, die aus reinen Brüsten uns Lebenskraft in alle Adern spritzt; vergißt Mutter Natur mit ihren holdseligen trauerstillenden Augenblicken; sparsam theilt er sich selbst des Lebens Freuden zu. Und doch! Wer ist sein eigner Schöpfer? Oder wenn er einmahl so da ist, wer kann sein Inwendiges umbilden, daß es ihm gehorche oder ihn nicht wider Willen dahin reiße? Wer darf nicht seyn, was er einmahl ist? Wer darf sein eigner Erbarmer seyn? Fort denn, alle müßige Betrachtung! Fort, wenn du die Seele nur marterst und zwiefach elend machst. Wenn das Schiff an des Untergangs schwarzem Rachen einmahl hängt, was fragt da der Schiffer... Lauf' ein und suche dir selbst einen glücklichen Hafen.

Herz.

Deine Reden, Faust!... Ich kenne dich nicht mehr.

Faust.

Die Zeiten ändern sich, guter Herz, und ändern Alles zugleich mit.

Herz.

Sollt' ich das glauben? Du machst mich noch melancholisch, wenn du so fort schwatzest.

Faust.

Geh' nach Hause, 'bist rauh, sitze in dein Zimmerchen bey Toback und Bier; auch dir sind häusliche

Freuden vergönnt. Laß uns Andre, die im Schrecken erschaffen, auch Schrecken und Wildniß lieben. Hörst du! Der hohle Wind pfeift über die Dächer her und trillt die Fahnen; und doch ist's leiser als die Stimme der Heimlichkeit, gegen das, was hier verschlossen braust. Adies.

Herz.

Wie? Wie? Der Verlust seines Vermögens muß sein Hirn so gewaltig angegriffen haben; oder sind jene Ammen-Mährchen wirklich wahr? Ha! Es ist einmahl nicht richtig hier im Capitolio! Ja, ja, so geht's in diesem Leben; Einer liebt, dem Andern gilt's gleich. Gut, ich will auch so werden; warum soll ich denn immer das Messer seyn, das Allen ihre Bärte glatt macht, und, denen ich gedient, noch danken, daß sie über die Scharten spotten, die ich in ihrem Dienst mir geholt. Kölbel und Eckius auch fort! Nun so geht Alle mit einander, zieht hin, verlaßt mich Alle, der eines Weibes, der seiner Lust und der seiner Grillen wegen; der arme Herz, der bald kein Weib, keine Lust mehr kennt, bleibt gezwungen endlich dann bey den Grillen allein zu Hause.

## Izicks Stube.

(Eine Ampel brennt.)

### Izick, Schummel, Mauschel.

Izick.

Was? Was? De Vatter hier? Des Faust sein Vatter?

Mauschel.

Hörst dann nit? Jau, ankumme is er in die Ochse, heut vun Sunnewedel; is ag mit gewese drauße an de Thorn, as se fange wölle sein Sohn, is herum gelafe gewaltig, hot geschrie: mei Sohn! Au way, mei Sohn! Hätt ihn doch zerückgehalte de Wagner, as er sunst angefangen hätt e gewaltige Spectakel.

Izick.

Sei Vater aus Sunnewedel hier? Das is gut. Nu weiter.

Mauschel.

As ich gesproche hätt noch e mohl mit de Knellius — aber Vitzegebore, dar liegt uf'm Dokes alleweil und schwizt vor Angst gewaltig, as er niemand kennt un sieht! Haben 'en doch die Studente gemartelt, daß e Schand is, so, so dick, sei Backe! Und sei Ag so dick! Bin ich geloffen ganz allan zu die Rath, auszemachen, as mer jetzt dörfe hamlich gefangen nehme de alte Faust, bis er e Handschrift von sich stellt, ze bezahle Alles, was nit raus kümmt an des Docters Möbels.

Izick.

Schmuß weiter: host's kriegt? Sag! Host de Erlabniß kriegt?

Mauschel.

Ob ich's hab? 's Lebche is schon fort ze hole die Gerichtsdiener, do, do in de Sack steckts.

Izick.

Wie viel host bone müsse an de Rath, Mauschel?

Schummel.

Nu frag nit drum, as mer gewinne müsse sechs mohl so viel. Daß er nur nit fort kümmt aus des Docters Haus, der Wagner hot en dort hingeführt.

Izick.

In des Docters Haus? Au way! Wie viel host bone müsse an de Rath, Mauschel, vor di Erlabniß?

Mauschel.

Nu krieg de Tippel un de Dalles! Drey helle Karlincher gleich; wann mer habe die Handschrift vun de Faust sei Vatter, noch drey.

Izick.

Au way! Drey Karlincher un noch drey, sechs Kar=

lincher zesamme! Au way! Wann kummt 's Lebche? Au way! Sechs Karlincher die Erlabniß!

Mauschel.

Halt's Bonum! Ward er doch gesetzt in die Tollhaus als e tolle Mann, kost uns oser ka Kreuzer, bis er unterschreibt; do im Sack hab ich's so. Sag, Schummel, sag, was wölle mer giebe de Knellius zum Präsent? Hot er doch vor uns gethan, was mer gewöllt; muß mer sich doch halte mit de Schotche, s'laft überall in die große Herrchäuser zu die Kammermenscher un Kammerdiener überall, überall. E manches ze verschachere uf sei Wort, e manche Bekanntschaft. Machts so klane Comediespiel, vor die ganz klane Kinder, un das hilft 'em voran, un Geld in de Sack derzu; as er mer abkaft hett in em halb Järche fünf Kladcher, gehort und ungehort, daß er sich oser putzt so stolz drin, hinne un vorne wie e Kapaun!

Schummel.

Giebe wölle mer'm die zwa neue porzlinene Leuchter, sei vornehm! E Graf könnt se habe. Nu, das werd em gefalle, möcht ers doch ag gern habe wie die große Herrn.

Mauschel.

Wie du manst, Schummel! Was is, Izick?

Izick.

Au way, au way, au way!

Schummel.

Izick, wo fehl'ts? An de Nabel? An de Bauch'? Knöpt uf! Memme! Memme! Nu, Krieg die K—, red!

Izick.

Au way! Schummel! Mauschel! Au way! As ich noch gerechnet in di Gedanke, manst, was ich verlier an de ganze Handel! Au way! Fünf, siebe, zwölf Dukate, zwölf, grad zwölf! Wo bleibt dann 's Lebche? Au way! Zwölf Sunnehelle ungeranftelte Cremnitzer Dukate, die ich de Mosler Spitzbube gegiebe. Au way! Das verfluchte Lebche, wo's bleibt, das Schwätzerche! Kriegs de Tippel in sei wacklich Bonum, as er nur beybrächt de Strick un Fang. Memme, die Thür garrt, guck, guck, Memme! Au way! Ufgesperrt drauße de Hausgang wie 'e Maul! Wer kümmt? Krieg di Mise Maschinne! Wer is do? 's Lebche! Gott behüt! 's Lebche mit de Strick un de Fang! Kummt! Kummt! Die Memme führt se schon n'über in die anner Stub.

---

Fausts Haus.

(Ein Zimmer, Caminfeuer, der alte Faust sitzt daran und schüttelt den Sand aus den Schuhen.)

Fausts Vater.

Meine Füße ganz wund!

Wagner (am Tisch, worauf Essen steht).

Er will nichts essen. Mir ist's auch nicht drum. Was mich der alte Mann dauert! Ich will den Doctor beobachten, ich muß hinter diese schreckliche Wahrheit kommen. Ist's wahr, daß er heimlich auf solchen schwarzen Wegen wandelt? Ein Verständniß mit denen zu knüpfen, an die man nicht ohne Schrecken denket, von denen man nicht spricht, ohne vorher sich mit den Waffen des Gebeths zu schützen! Ja, so will ich mein Herz auch losreißen von ihm und... Aber ach! Er sollte dahin seyn? Diese schöne Sonne, die die halbe Welt erleuchtet, mitten in ihrem Glorien-Lauf versinken, auf ewig versinken? Faust! Faust! Auf ewig! Nein, es kann nicht wahr seyn. Ach meine Seele! Die Gebeine zittern mir. Wenn's möglich wär'? Alles scheint in diesem Gedanken um mich her zu weinen. O unseliger Gedanke, wer ist's, der dich zur Welt brachte? Deine Mutter ist scheußlich, wie die Hölle, denn du gleichst ihren Kindern. Stolz und Ehrgeiz, du hast Engel gestürzt, die Zierden des Himmels, wie leicht ist dir's, Menschen zu fällen! Nein, nein! Ich will nicht weiter daran gedenken! Wie? Wollt ihr denn gar nichts genießen, Vater?

Fausts Vater.

Nein! Wo mein Sohn nur so lang bleibt? Glaubst du, daß er heut noch kommt?

Wagner.

O ja!

Fausts Vater.

Zehn Uhr ist schon vorbey. Seine Mutter, wenn sie gesehen, was ich heut sah, sie läge schon auf dem Stroh. Wie, ist dir nicht wohl?

Wagner.

Erstaunliche Hitze! Ich meyne, das Hirn falle mir zum Haupt heraus.

Fausts Vater.

Vielleicht hast du Schlaf und strengst dich zum Wachen an. Geh, geh, du bist müde, die Augen fallen dir zu. Zu Bette, lieber Junge, die Jugend liebt den Schlaf. Geh, lege dich nur.

Wagner.

Ach nein, nein!

Fausts Vater.

O der Gram läßt mich nie einsam. Geh, Kind! Quäle dich nicht so, thu' mir den Gefallen und leg' dich zu Bette. Bis nach Mitternacht will ich hier am Feuer sitzen; und kommt mein Sohn bis dahin nicht, so komm' ich zu dir, mich auch niederzulegen.

Wagner.

Ach ich bitt' euch! Horcht, wer klopft draussen? Drunten an der Thüre? Er kommt!

Fausts Vater.

Sieh geschwind nach' Ach daß er jetzt käme! Meine Worte sollten ihm Dolche werden, die ihm durch alle Gebeine drängen. Heiliger Gott! Das ist er, ich kenn' ihn an der Stimme. Gib meiner Zunge jetzt Kraft und Gewalt, Herr! Rühre sein hartes Herz, daß meine Thränen es erweichen. Da ist er.

(Faust auf seinen Vater los, starrt ihn an und lauft wild ab.)

Fausts Vater.

Johann, mein Sohn! Ich bin dein guter Vater, flieh nicht vor mir! Wagner! Wagner!

Wagner.

Gedult! Er hat euch vermuthlich nicht gekannt; der Zustand, in dem er sich jetzt befindet, treibt seine Lebensgeister alle in Empörung. Wartet, ich will zu ihm und mit ihm sprechen.

Fausts Vater.

Sieh nach! Sag' ihm, daß ich da bin.

(Wagner ab)

Ha wie brummt mir's durch die Ohren! Nein, ich will nicht warten! Warum soll ich denn warten? Ja, wenn er mich nicht gekannt! Was? Wie? Er sollte mich nicht mehr kennen? Nein, ich will nicht långer hier warten.

---

## Fausts Kabinet.

Faust, Wagner.

Wagner.

Warum wollt ihr ihn denn nicht sprechen?

Faust.

Ist's mein Vater?

Wagner.

Er selbst.

Faust.

Was macht er hier? Was will er denn jetzt hier? Es ist mir unmöglich jetzt! Ich kann, ich darf ihn jetzt nicht sprechen.

Wagner.

Es ist unmöglich?

Faust.

Geh! Geh!

Wagner.

Was winkt ihr? Was soll ich?

Faust.

Hörst du! Hier diese Halskette, diesen Ring, mehr hab' ich nicht; da, nimm's! Er wird vielleicht nach dem Erbtheil fragen, vermuthlich haben ihn meine Verwandten beredet.... sag' ihm, das sey indessen.... sag' ihm, das sey Alles, was ich noch besitze! Hörst du? Halt! Muß sich denn Alles zusammendrängen, mich zu peinigen? Hörst du, sag' ihm, was du willst, nur mach', daß er geschwind wieder meine Wohnung verläßt.

Wagner.

Doctor!

Faust.

Bey Allem! Wie? Willst du mich mit deinen Thränen ängstigen? Denkst du das? Ich will mich von euch los machen; wenn ihr mich nicht meiden wollt, will ich bald diese Wohnung selbst verlassen.

Wagner.

Ha und den Fluch mit nehmen, der schon über eures Vaters Lippen schwillt? Andre Kinder gehen mit Freuden ihren Aeltern entgegen, und ihr... Doctor! Doctor! Hier kommt euer Vater selbst.

Faust.

Hinaus von mir! Fort, fort, sag' ich dir.

(Wagner ab)

Fausts Vater.

Johann, willst du mich nicht sehn? Willst du mich nicht sehn?

Faust.

Vater!

Fausts Vater.

Bin ich's? Bin ich dein Vater? Ich dacht', ich müßt' es nicht seyn. Schau mich 'mahl an! Ha des kindlichen Willkomms! Er hat mir das Herz ganz erquicket! Es wird einem gleich wieder wohl zu Muthe, wenn man vom lieben Sohn so empfangen wird! (Greift ihm an die Brust) Bube! Bube! Schämst du dich meiner? Schämst du dich deines alten Vaters vielleicht? Wer bist du? Wer bist du? Wer? Wer? Gleich sag' mir jetzt, was du treibst! Was du für ein höllisch Leben führst? Lieber gleich dir eins vor die Stirne, als daß du mir noch übler werden sollst! Aus diesem verfluchten Leben will dich so herausreißen! (Reißt ihn vor sich) So aus diesem Gräuel-Leben!

Faust.

Vater! Alt und schwach! Laßt mich! Ihr vermögt's nicht!

(Er packt und setzt ihn auf einen Stuhl)

Fausts Vater.

Ja, alt und schwach! Aber ich kenn' Einen, der statt meiner Kraft hat. O Johann! Johann! Verlornes, unglückliches Kind!

Faust.

Was that ich? Hab' ich mich an meinem Vater vergriffen? O nein! Vater, hab' ich euch ein Leids gethan?

Fausts Vater.

Leids? Ja, lieber Johann, und tief im Herzen dazu!

Faust.

O Vater, wie bin ich unglücklich! Ich weiß ja nicht, was ich gethan. Ueber mir schwebt Nacht und Finsterniß und benebelt alle meine Sinne! Gewiß, ich weiß nicht ....

Fausts Vater.

Ey ja! Das glaub' ich, es geht mir auch oft so. Wie bin ich so matt! Nur ein Bißchen Wasser zu trinken! Gott! Hör' nur zu, ob's nicht ein Jammer ist, liebes Kind!

Faust.

Was denn?

## Fausts Vater.

Vor einiger Zeit lag ich Nachts so traurig im Bette, dacht' eben an dich und deine grausame Veränderung, wie es uns von Andern zu Ohren kam; wie du lebst und mich und deine Mutter so ganz vergessen und wie dir's noch weiter auf Erden ergehen möcht'. Sieh, mein Sohn, da kamst du mir im Traume vor, daß ich dich ganz eigentlich erkennen konnte; sah dich lieben Sohn am vollen freudigen Tisch, weggedreht dein Gesicht von mir und den Deinen, in die Arme einer scheußlichen Buhlerin geschlossen, die goß ein, hielt dir, hielt dir einen Becher voll Blut an die Lippen — trankst! ach! und sahst nicht, wie Teufel unter deinen Füßen den Boden aushöhlten zum schrecklichen Falle! O mein Sohn! Nun sankst du! Sankst! Ich hörte dich hinunter! Wollte dir zurufen! Aber meine Zunge war gebunden, mein Odem war zu schwach. Ach da zerriß innere Qual meine Eingeweide! Jammer! Ich lag auf meinem Munde, stöhnte laut die Mutter wach! Die fiel auch schreyend über mich aus, mich zu bedecken mit ihren alten, zitternden Händen. Auch sie sah im Traume dein Verderben, sah dich das Messer zücken auf meine nackte Seite, auseinander zu reißen mein Fleisch, mir das Herz aus dem Leibe zu wühlen. Voll Angst-Schweis hielten wir uns so umschlossen und, ach Gott! ach Gott! sahn dich noch wachend mit gesträubten Haaren über uns weggerissen im Donnerschlag und hörten weiter nichts, als in der Ferne deine klägliche Stimme!

Faust.

Nein! Sey Stahl, mein Herz! Und lasse nicht weibische Empfindungen ein. Sey stark und halte dich. Verfluchtes Menschenloos!

Fausts Vater.

Da macht' ich mich auf mit Thränen, dich zu suchen. Es kamen eben zu gleicher Zeit auch Briefe, von unbekannter Hand geschrieben, die Alles bekräftigten, was ich sonst Böses gehört. Mein Sohn! Mein Sohn! Laß ab! Bedenke die Ewigkeit!

(Gelächter hinter der Bühne)

Faust.

Ha wie ist mir? Hör' ich die wieder?

Fausts Vater.

Ewig! Wie lange, lange, lange, das währt!

(Ein Gelärm)

Faust.

Holla! Holla! Ich hör' euch kommen,
Hab' eure Stimme schon vernommen!

Alle (hinter der Scene).

Mach fort! Mach fort!
Wir rathen dir's!

Faust.

Wohl! Wohl! Um Mitternacht!

Stimme.

Wir rathen dir's, halt' Wort!

Faust.

Verlaßt mich, Vater. Es ist schon spät, ich bin müde. Morgen sehn wir uns wieder. Morgen, morgen wollen wir mit einander sprechen, dann will ich auch nach meiner Mutter fragen. Ich bitt' euch, laßt mich jetzt allein, ich bitt' euch.

Fausts Vater.

Gerne, wenn dir's ein Gefallen ist. Ach Johann! Bist du's noch, so gib mir deine Hand drauf! Willst du noch mein lieber Sohn bleiben? So gib mir deine Hand drauf. Wie? Du reichst sie nicht?

(Faust gibt ihm die Hand)

Gott sieht zu, wie du einschlägst!

(Gelärm hinter der Bühne)

Stimme.

Mach fort! Mach fort!
Was thust du, Narr?

Faust.

Was thu' ich? Ha!

Geschrey.

Erzittre tief! Wir halten dich
Beym Wort!

Fausts Vater.

Meineid fällt schwer auf deine Seele! Wo du das Wort brichst! Gute Nacht, Kind! Gott sey bey dir bis Morgen.

(Vater ab, Faust fällt in den Lehnstuhl)

Alle Teufel.

Ha! ha! ha! Wir haben ihn!
Bald kommt die Mitternacht!

Faust (aufspringend).

Was habe ich versprochen? Pah! Ich will mich noch losreißen von Allem in der Welt. Weibische Thränen! Wie bin ich so ganz zum großen Menschen verdorben! Vater! Ich sollt' meinen ganzen gelegten Plan wieder umstoßen, jede Idee, die Hoffnung darüber gebohren, genähret und darauf gegründet? Wieder der Niedrigkeit entgegen kriechen, vor deren bettlerischem Anhauch ich erst mich weggewendet? Entgegen der Demüthigung, dem Casteyen, Entsagen und Glauben auf dieser Welt, mit Muscheln behangen oder in der Kutte? Hier nothdürftig Allem entsagen, dorthin üppig zu hoffen? Mir schwindelt das Hirn.

Ha, warum hat meine Seele den unersättlichen Hunger, den nie zu erstillenden Durst nach Können und Vollbringen, Wissen und Wirken, Hoheit und Ehre! Das mächtige Gefühl, das mich aus diesem Gedränge von Niedrigkeit immer und immer hinauf ruft! Und ich sollte mit diesen bellenden Begierden, die gleich lästigen Anverwandten an mir hangen und mein Leben aussaugen, mich zu Tode schleppen? Kriechen und immer kriechen in stinkender Niedrigkeit ohne Erfüllungshoffnung der lechzenden Seele? Unbemerkt in dieser großen Woge des Lebens verrauschen? Hinweg, tausend Centner schwere Last! Hab' ich's beschworen, dich zu tragen?

(Ein teuflisch Hohngelächter)

Ha! Geister hören meinen Vorsatz und lachen darüber! Weg Alles! Mein Entschluß ist unumstößlich gefaßt! Gewählt, sey's wohl oder übel! Was willst du, Wagner?

Wagner.

Euch eine gute Nacht sagen und dann auch zu Bette gehen. Habt ihr noch Licht?

Faust.

Lieber Junge, nein, laß uns heute nicht mit einander schwatzen. Geh zu meinem Vater hinein. Es müssen noch gute Zeiten für uns kommen, Bruder, oder schlimme oder wie's kommt. Wie viel Uhr ist's, Junge?

Wagner.

Eilf vorbey.

Faust.

Ich habe Morgen eine Disputation vor; gute Nacht! Sag' meinem Vater, ich ließ ihm angenehme Ruhe wünschen.

Wagner.

Gute Nacht denn!

Faust.

Wie viel Uhr, sagst Du?

Wagner.

Es geht auf Mitternacht.

Faust.

Mitternacht!

(Geht hinten auf und ab)

Wagner.

Ich will ihn beobachten. Auf seiner Stirne steht seine ganze That. Zureden hilft bey ihm nichts, wenn irgend ein Affect sich seiner Sinne bemeistert; aber ich will mit meiner Wachsamkeit seine geheimnißvolle Einsamkeit unterbrechen und ihm unthunlich machen, was er im Sinne hat.

(ab)

### Faust.

Wilde, zauberische Grotte der Nacht, an deren Eingang bräunliche Phantasieen irren! Jetzt bin ich zum Ausgang gefaßt, jetzt will ich! (Ans Fenster) Dunkle, blutige Wolken laufen am Himmel herauf; wie's stürmt! Wohlan! Ha was sind denn das für Gestalten um mich her? Wie? Mutter! Vater! Ha! Es ist nur ein Traum, wie Alles unter der Sonne. Mitternachtstunde, du kriechst herbey, bang und hoffnungsvoll bist du mir jetzt. Wie sehnlich ich mich diesem Ziel genaht! Und doch werd' ich vielleicht bey der Ausführung zittern. Laß es bleiben, Faust, oder zage nicht länger! Allmählig und allmählig schleicht der Zeiger heran: fort, fort! Hinaus auf den Kreuzweg, den Unholde segnen, hinaus in den finster brüllenden Wald, wo hingebannte Geister irren und ihre Klagetöne in's Geschrey der nächtlichen Eulen mischen! Dort, dort hin, wo ich festen Muth fassen muß. Wohlan! Laßt gehen andre Menschen ihren Alltagsgang, Faust bricht sich durch Hilfe dieses Stabs, unter Ceremonien, die zu nichts dienen, als mich fester an die Hölle zu knüpfen, eine neue Bahn.

(ab)

---

## Nacht.

(Straße vor Panzers Wohnung. Kölbel mit Musikanten auf einer Seite, auf der andern Strick und Fang.)

### Kölbel.

Still, still! Dort stehn sie, glaub' ich und lauern auf uns.

### Strick.

Komm, mach' fort! Wir wollen ums Haus herumschleichen und zusehn, ob wir den Alten herausholen können.

### Fang.

Ah was! Du wirst nicht ruhen können, bis wir noch einmahl so tief ins Unglück gerathen.

### Strick.

Memme! Lauskerl! Komm!

### Fang.

Du bringst mich noch an Galgen.

### Strick.

Wie, bist du närrisch?

### Fang.

Geh! Die Biersiedersfrau, die wir auch so weggenommen Nachts und in's Tollhaus als eine Unsinnige gebracht, damit der Mann eine andere heirathen könne, es graust mir noch in allen Gliedern, wenn ich daran gedenke. Das Geld zählt der Teufel, das wir dabey verdient.

### Strick.

Du bist nicht werth, mein Camarad zu seyn. Komm' nur!

(Beyde ab)

### Kölbel.

Ich dacht', es wär' Herz und Eckius; hab' mich von ihnen geschlichen, meinem Liebchen ein Ständchen zu bringen. Das Hexen-Mädel! Bin ganz weg, ganz caput, alle meine Wünsche und Gedanken laufen ihr nach. Ihre zwey blauen Augen, so schmachtend und doch so schelmisch, betteln erst und lachen hernach, wenn sie's haben. Ihr Herrn, wer guckt dort oben am Fenster? Mein Engel!

### Erster Musikant.

Mich däucht's nicht. Ein Blumenkorb.

### Zweyter Musikant.

Nein, 's ist ein Bund Inschlittlichter, die am Fenster hängen, um in der Luft zu trocknen.

### Kölbel.

Gib mir die Laute. Wenn meine Arie zu End' ist, falle der ganze Chor mit den Instrumenten drein. So was recht Zärtlich-Melancholisches, was ihr zur Hand habt. Das Wetter ist ungemein rauh, aber ich will's schon sonst wieder einbringen, meine Herren.

Alle.

Ah Herr Kölbel, wir laufen ihnen durch ein Feuer.

Kölbel (mit der Laute).

Leuchte, leuchte sauft hernieder,
Holder Mond, im Wolken-Lauf!
Süße, süße Liebeslieder
Steigen meinem Mädchen auf.
Wie Dein Licht die Dämmrung bricht,
Lacht ihr holdes Angesicht!

Chor.

Stunden, ach Stunden, wie seyd ihr verschwunden,
Freude der Jugend im seligen Flug!
Seelen an Seelen in Liebe gebunden,
Liebe der Liebe im himmlischen Zug!
Sterne verglimmen und Rosen verblühn,
Jugend und Schönheit den Wangen entfliehn.

Brennet, ihr Seufzer, an brünstigen Wangen,
Zaubert Elysiums-Leben zurück!
Lippen, die lechzende Lippen verlangen,
Funken an Funken im ewigen Blick!
Sterbende Augen des Trostes entziehn,
Heilige Lippen im Bethen auch glühn.

Liebe, entgangen den himmlischen Thoren,
Schönste der Göttinnen, reizend und hold!
Erd' und Flammen, Weiße und Mohren
Bindest an Ketten im seligsten Sold.
Küsse von dir kann das Glück nicht vergeben,
Wer dich besitzet, den reizen nicht Welten.

Gretchen (oben am Fenster).

Schön Dank! Schön Dank! Kenn' den Geber am Gesang.

Kilbel (zu den Musikanten).

Gute Nacht, meine Herrn! Hab' ein Wörtchen da allein zu sprechen. Gute Nacht! Morgen sehn wir uns wieder.

Alle.

Wir stehn Ihnen immer zu Diensten.

(23)

Kilbel.

Gretchen, reizender, lieber Engel! Daß ich droben bey dir in deinen Armen wär'.

Gretchen.

Still! Meine Schwester hör' ich, mein Onkel hustet. Kommen sie in die Straße an's andre Fenster, will ihnen noch weiter sagen.

Kölbel.

Gerne, Liebchen!

(ab)

Wagner.

Ha! Mir doch entgangen! Ich will ihm nach, dicht auf der Spur. Faust! Wohin du dich mir verbirgst, sollen meine Tritte dich verfolgen, sollen meine Thränen, meine Beschwörungen dich hemmen in deinem schrecklichen Vorsatz! (Es schlagt zwölf auf dem Münster) Ha! Mitternacht! Die Stunde der Gemeinschaft der Hölle mit unsrer Oberwelt. Es läuten sie an graunvolle Geister, die in Gräbern mit der Verwesung um morsche Gebeine gekämpft und in feuchter Nacht sich jezt im gehemmten Sternglanz baden. Geiz und Betrug und Mord finden hier ihre gräßliche Strafe und müssen, ihre eigne Schande verkündigend, umherziehn, bis irgend ein mitleidig Geschöpf sie erlöst. Und ach! Zu denen gesellst du dich, Faust, und fliehest Menschen, die dich lieben. Wie hohl der Schlag vom gewölbten Münster herunter tönt! Wie die Stimme der ernsten Ewigkeit! Ach wenn einst die Seele aufwandelt über die Sternenbahn, tausend ewige Zungen ihr entgegen frohlocken: dann wohl ihr! Und wehe, ewig wehe dem, der da verlohren geht! Wer ist da?

Nachtwächter.

Puh! Puh! Windigt und regnigt!

### Wagner.

Der Wächter. Ha wo werd' ich ihn finden?

(ab)

### Nachtwächter.

Puh! Eine wüste Nacht. (Stellt die Laterne nieder und bläßt) Hört, ihr Herren, laßt euch sagen u. s. w. Will jetzt eine Pfeife anzünden. Wer räuspert sich dort? Gute Nacht! Gute Nacht!

(ab)

---

## Dunkler Wald.

### Kreuzweg.

(Man hört noch in der Ferne den Glockenschlag von Zwölf.)

### Faust.

Allein steh' ich nun auf diesem Kreuzwege, dem Sitze nächtlicher Zauberey! Mitternacht ist's und alle guten Geschöpfe ruhen. Es steigen aus Gräbern und Richtplätzen verdammte Geister hervor, die Luft zu durchwandern, wo ihre verworfnen Leiber modern. Wie brütende Eulen über ihrem Neste sitzen die, bewahren den Ort, wo ihr Schädel hängt. Und ich mache mich bereit! Der Mond kriecht in den Busen der Nacht, als wollt' er nicht ansehen, was hier unter ihm vorgeht. Nun ist es zu solch höllischem Beginnen die rechte Zeit. Was plaudre ich lang, suche mit selbst ausgeheckter Furcht mir meine Unternehmung zu erschweren? Wohlan denn, ihr Teufel! Bewohner der ewigen Finsterniß! (Er zieht einen Kreis) Weil Alles in dieser Welt unter dem Joch von Förmlichkeiten liegt: hört jetzt mich und meinen Gruß! Wenn ihr Liebhaber von irdischen Gerichten seyd, will ich hier etwas auftischen, das euern Gaumen reitzen soll: von Wolfsleber, Fledermausherzen, dem Kamm eines schwarzen nächtlichen Hahns, Moley, Raute, gepflückt und gebrochen in unglücklicher Stunde; dieß Alles unter höllischen Flüchen geweiht und zusammengekocht. Und mit diesem Stab schlag' ich hier nieder in den Sand einen Kreis, beschwör' euch herauf mit Worten, zu schauderhaft, als daß sie die noch zu stille Nacht höre. Aber ich denke, ihr seyd Teufel besserer Art; ihr kommt, wenn man euch ruft, denn ihr fühlt, daß ich mit euch reden muß. Wohlan! Ich steige jetzt in diesen gebannten Zirkel, sicher vor euch und der Hölle. Aber wer hemmt meinen Fuß, macht mir stocken das Blut unter'm Herzen? Wie eines Riesen mächtiger Arm liegt's über mir und drängt ab. Eine Stimme schmettert durch alle Gebeine: thu's nicht! Vergebens! Ich will, muß! (Er tritt ein, man hört ein Gerassel in der Luft, die Erde dröhnt) Herauf, herauf, ihr des Unterreichs Geister! (Es donnert und blitzt) Herauf, Lichthasser, die ihr auf schwarzen Thronen sitzet, in ewiger Finsterniß eure Flüche verheult! Herauf! Faust beschwört euch bey der züchtigenden Sonne! Ha! (Geheul, Blitz und Donner) Zermalmet mich, überlaßt mich nur nicht länger dieser Angst! Ueber und unter mir! Und müßt doch herauf durch die kreißende Erde; schmerzlich wimmert die Mutter, euch gebährend. Verflucht, verflucht ihr Alle! Herauf! Ich lass' euch jetzt nicht los, ihr müßt, müßt mir gehorchen! (Geheul und Sturm) Erscheint lieber, wie ihr seyd, als daß ihr länger so fürchterlich mich euch ahnden laßt! Herauf! Und ihr müßt! Müßt! Meinen Flüchen gehorchend! Mag die Natur in's Chaos darüber hinsinken, aus ihrer Mutter hervorspritzen unzeitige Welten, Planeten zerschellen, zerbrechen der Ordnung Stab, wenden der Dinge Lauf! Mag das Sterngewölb' zusammen krachen, die Axe verdrehn und Alles im grausen Ruin zusammenstürzen: herauf! Ich beschwör' euch bey dem Namen, der die Feste der Höllen gegründet, beschwör' euch bey meiner unsterblichen Seele!

(Donner und Blitz. Sieben Teufel strecken die halben Leiber zur Erde hervor.)

Geworfen hat die Erde, fürchterlich ihre Brut! Wie sie empor wachsen, mich mit ihren Blicken halten! Will reden mit ihnen, ob auch drüber meine Seele stürbe.

Alle.

Was rufst du und reißest durch Erd' und Brand,
Biethst Seel' und Leib zum Unterpfand?
Das Fleisch wie Heu, mehrt Sünde sich,
Die Zeit verfleucht, wir hoffen dich!
Was willst du?

Faust.

Ha!

Alle.

Dein Begehren?

Faust.

Sie fragen mich?

Alle.

Sag' an!

Faust.

Der geschwätzigen Lügner, die da sagen, auch in unsern feinsten Gedanken schlich' er um! Soll ich mit plumper Zunge erzählen? Wohlan denn! Ich suche einen Diener.

Alle.

Will dir dienen!

(Sie steigen hervor)

Faust.

Du? Und du? Und du? Und doch nur einer allein!

Alle.

Wähl' dir.

Faust.

Gut. Wenn ich nicht umsonst das übernahm, was Andre zu erzählen schon schaudern macht, nicht umsonst meine Seele zum Pfand gesetzt: wohlan, so laßt mich euch kennen lernen, zu sehen, welcher von euch der mir gelegenste ist. Aber zuvor sagt, bin ich hier sicher?

Alle.

Schau, schau,
Wag dich aus deinem Zirkel nicht!
Der Hölle trau,
Uns Teufeln nicht!
Uns rufst und reißest durch Erd' und Brand,
Biethst Seel' und Leib zum Unterpfand.
Das Fleisch wie Heu, mehrt Sünde sich,
Die Zeit entfleucht, wir hoffen dich!
Ju heya!

Faust.

Wie heißt du?

Erster Teufel.

Curballo.

Faust.

Deine Kraft?

Curballo.

Schnelligkeit.

Faust.

Sag' an!

Curballo.

So schwarz ich bin, gleich' ich doch an Geschwindigkeit dem Lichtstrahl, der Millionenmahl schneller schießt, als der Pfeil vom Bogen.

Faust.

Ha!

Curballo.

Wer mir traut, den führ' ich in der zehnten Hälfte eines Augenblicks neunmahl durch das menschliche Leben.

Faust.

Das deine Kraft? Fahr' hin in die Winde, luftiger Geist! Zu langsam und zu schnell mir! Das Aug' und Ohr, diese Sinne sind nicht nach deinem Dienst gebildet. Immer schnell, was ist das? Ist es nicht Schneckengang, den unser Herz in süßer Befriedigung und Stillung nimmt? Wünscht man nicht oft die Flügel der Zeit zu stutzen? Wie oft möchte man im Leben bey süßen Augenblicken rufen: von vorn an! Laß mich! Und sage du. . .

Zweyter Teufel.

Curballos Bruder. Die Hölle nennt mich Sünde. Geschwindigkeit ist auch meine Kraft.

Faust.

So liegt die Hälfte deiner Geschwindigkeit ausser dir. Dich spannt das strenge Gesetz, wir Menschen geben dir Flügel. Wie, wenn in uns solche Triebe zum Guten, wie zum Bösen lebten, was für ein langsamer Teufel wärst du! Sophisterey gegen einen Sophisten. Du scheinst zu seyn, was du nicht bist. Pack' dich!

Dritter Teufel.

Mir, mir, Faust! Ich bin dein Diener.

Faust.

Wer bist du?

Dritter Teufel.

Mogol! Ich bin's, der den Staub zusammenbläst, den ihr Menschen Gold nennt.

Faust.

Du bist's, der das Blut im Weltpuls zirkeln macht, des Goldes Herr und König dieser Erden!

Mogol.

Ich trage den Schlüssel zu allen verborgnen Schätzen der Erde und des Meeres, ich schlafe, wo die Perle rinnt; wo der Smaragd in tiefen Schachten blüht, ist meine Ruhestätte. Alles ist mein.

Faust.

Und wie, wenn ich dich nähme? Gut, du wärst mir am liebsten noch von euch dreyen. Wer dich hat, ist geschwind und weise und die Sünde ist auch seine treue Gehilfin; du fassest diese Beyden in dir. Doch laß sehn, was die andern vermögen. Wer bist du?

Cacall.

Der Wollustteufel! Mein sind die Begierden der Wollust, ich buhl' in Kirchen und auf Straßen, koche Liebestränke und Kraftsuppen und helfe schwachen Gliedern zum sündigen Vermögen auf. Komm, sey mein, verspreche dir Wollust und Freude!

Faust.

Fort mit dir! Sind marklos meine Gebeine, gewelkt mein Haar, mein Aug' erloschen, zu stumpf dem Sternenblick, daß du mir zutraust, ich werde mich deiner Kraftlosigkeit verpfänden? Gehe, dir kann's nicht fehlen in diesem Jahrhundert; was brauchst du einen, der dir deine Kunst verdirbt? Denn das ist gerade um so größere Wollust, raffinirt Cento pro Cento, je nüchterner und mäßiger man genießt. Ich weiß eine Provinz, wo dein Tempel steht, wo man Alles pro forma liebt; fülle deine Büchsen und reise hin, laß dir durch Kupplerinnen die Wege zeigen. Du wirst ankommen! Wenn des Alten seine junge heiße Gattin spottet, sein eignes Fleisch seinen Willen höhnt und ihn schmählich seinem behenden Nachbar verräth: reich' ihm noch einmahl deinen Becher, daß ihm von Kraft ahnde und er im sündigen Schattengenuß nur tiefer zur Hölle fahre.

Alle.

Ha! ha! ha!

Faust.

Wenn vor dem Beichtstuhl die Büßerin knieet, ihre begangnen Sünden zu beichten und sie besinnet sich im Herzen anders, also, daß ihr Rückfall ahndet: nah' hinzu und blase die Worte vor ihres Paters Ohr weg, daß sie keine Vergebung erhalte. Fort mit dir! Einen männlichern Teufel für uns!

Pferdtoll.

Nimm mich, den Verderber! Wo ich aufblick', wimmern die Elemente, Ruin stürzt nach meinem Pfad, vor meinem Anhauch fliehen die Gestirne, erbleichet der feuchte Bär. Schlag' auf im Zorn das Meer über den Mond und fülle die Erde mit Finsterniß und Jammer.

Faust.

Hinweg, Chaos! Im Wirbel der Hölle verschlossen, verheul' deine Stimme bis zum jüngsten Tag. Wenn die große Trompete dir zum Ruin ruft, schwinge dich auf dann, unter brennenden Welten und schaue vor Freude umher.

Sechster Teufel.

Nimm mich!

Faust.

Wer bist du?

Sechster Teufel.

Einer, der dich liebt und in der Vollbringung deiner Wünsche an Wärme und Geschwindigkeit Keinen seines Gleichen hat.

Faust.

Kennst du denn alle meine Wünsche?

Sechster Teufel.

Und lasse sie in der Vollbringung weit hinter mir.

Faust.

Wie, wenn ich nun hinauf verlangte und du trügst mich auf den äussersten Stern, auf des äussersten Sterns Decke, unter der er hinlief: bring' ich nicht auch zugleich immer ein menschliches Herz mit, das in seinen üppigen Wünschen immer noch neunmahl deinen Flug übersteigt? Lern' von mir, daß ein Mensch mehr begehrt als Gott und Teufel geben kann. Wenn's um deine Geschwindigkeit nicht besser aussieht! Sag' an.

Sechster Teufel.

Steh' ich auf der Hölle äusserster Angel, mich aufschwingend: kaum daß mein Fuß los zückt in die Luft, halt' ich im nämlichen Stoß schon in meinen Händen den Ring, der den Unterhimmel hoch oben an des Allerschaffers Thron festhält.

Faust.

In Allem geschwind, wäre nichts; das dacht' ich schon. Aber im Fluge, wo taumelnd die Seele über Welten wegsetzt, ist die Geschwindigkeit noch neben ihr langsam. Wollte dich herum treiben! Du würdest nie mein Meister.

Sechster Teufel.

Beweg' deinen Stab schnell herum, daß die äusserste Spitze dir ein beständig Rad bilde: sieh, solch ein Rad schlag' ich durch die ganze Schöpfung, überall sichtbar, hörbar, gegenwärtig!

Faust.

Und du, bleibt dir noch was übrig nach diesem?

Siebenter Teufel.

Blick' in mein Aug', was siehst du drinnen? Eine neue Schöpfung, bisher dir Alles fremd. Wo deine Sonne dir aufsteigt und niedersinkt, findest du nichts desgleichen; denn ich schließ' in meinem Blicke wie in einem Reif die Welt. Alle sind Abstrahlen der Kraft, einer tiefer vor dem Andern, und mir geht Niemand vor, als mein Meister.

Alle.

Mephistopheles, unser Herr!

Faust.

Warum bewegt ihr euch so?

Alle.

Der Meister kommt! Der Meister kommt!
Er steigt herauf! Er steigt herauf!
Die schwarze Pforte thut sich auf!

(Sie sinken)

Wir scheiden jetzt durch Erd' und Brand,
Bieth' Seel' und Leib zum Unterpfand.
Bieth' auf, bieth' ab, bieth' her und hin!
Verloren hast doch beym Gewinn!
Hurra!

(Alle ab)

Faust (niedersinkend in Schlummer).

Wie ist mir? So dunkel! So allein! Oh!

Mephistopheles.

Schlummre! Schlummre! Bald überwältigt, bald ganz mein! Wer sich uns naht, der ist schon gebunden. Jetzt sollen die Bilder, die über dir aufgehen, völlig deine Sinne befesseln, dich ausrüsten zum schwarzen Bund mit mir; so bringe ich dich hinab und stelle dich vor Lucifers dunkeln Thron. Laß mich dich einschlürfen, Luft, noch ein Weilchen, wo meine Hoffnung grünt! Luft, die die goldnen Strahlen der Sonne durchspielet, die mich vermeiden. Unerkannt dem Lichte, strahl' ich meine eigne Nacht vor mir aus; denn wo ich weile, hat der Ewige düstre Nacht um mich hergewälzt. Auf denn, auf, Mephistopheles! Erfülle, was du dir so lang entwarfst! Jetzt ist die Zeit, jetzt! Laß sie nicht vorbeystreichen, oder ewig verloren ist sie, ewig, unwiederbringlich verloren! Niemahls wird der Augenblick wieder zurückkommen, der den Odem der Liebe dir theilte. Auf, auf, führ' aus den süßen Wunsch: ein Geschöpf habhaft zu werden nach deiner Neigung, anzuschließen an dein Herz mit diamantnen Ketten! Zu dunkel, zu dunkel Alles drunten! Muß mir was aus der Oberwelt hinabgreifen. Ach süßer Gedanke! Und doch... Wehe! Wehe! Mich durchschneidet's siebenfach, wie des Rächers Schwert. Dann! Dann! Wenn ich, ganz Teufel, wieder selbst zerstören muß, was ich jetzt aufgebaut, gezüchtigt bin, das mit Lust zu quälen, was ich so liebe.... Will nicht daran gedenken, ehe die Wonne-Minuten dahin sind. Los, los, deiner Bangigkeit, Busen! Unglücklich Geschöpf, das mit der Hölle in Gemeinschaft tritt! Es macht sein Herz zur Mördergrube und vertauschet Freuden um Jammer. Wer beklagt unser Einen, wenn die Ewigkeit um uns her die nie veraltende Schwinge schüttelt und uns ihre nie auszuleerende Vorrathskammer von Elend zeigt? Wenn die Gewölbe von Angst über uns einstürzen, dringt da ein einziger mitleidiger, trostbringender Seufzer aus den Trümmern in unser Ohr? Komm, Stunde, bald! Stunde, die mir ein Wesen versichert! Denn verschlossene Liebe ist doch meine Pein. Wohlauf du! Schlaf' und träume dich voll; verträume dich und schenke dein bestes Kleinod, schenke deine Seele mir!

# Situation

aus

# Fausts Leben.

(Eine düstre Höhle. Hinten durch blickt man in schwarze Tiefe. Satan, Pferdtoll fahren zu beyden Seiten herein; hernach Moloch.)

Pferdtoll.

Schatten! Schatten! Vermaledeytes Licht! (Verbirgt sich in's Dunkle.)

Satan.

Verderber! Siehst du dort Grabgeister zittern? Ho! ho! Ich saug' an ihrer Angst... Was hast du verrichtet?

Pferdtoll.

Hab' Städte verbrannt. Hab' noch 'was gethan. Der Mond hat mich verjagt.

Satan.

Ho! ho!

Pferdtoll.

Hab' hinabgezogen ein Schiff; der Strudel ergriff's. Hab' einer Mutter den Strick gelangt, ihr Kind zu erdrosseln! Der Mond hat mich verjagt. Wo bleibt der Zaudrer Mephistopheles?

Moloch (tritt auf).

Ein neuer Sammelplatz!

Satan, Pferdtoll.

Willkommen, Bruder! Woher?

Moloch.

Aus Syrien, Syrien, meinem ehemahls so süßen Aufenthalt. Ein Weilchen saß ich dort auf Libanons Felsenstirne, hauchte die Pest in das Land. Sengende Mittagswinde ergriff ich, trieb sie, bis wo der Mohr im Sonnenstrahl knieet, wenn er abgöttisch das dunkle Haupt zum hellern Schatten abbückt und wollüstige Gelübde mir weiht. Im Opferrauch stand ich dort, ha! ersah meinen Vortheil bey der Nacht. Ich wälzte den Sultan im Bette; er heulte, zerrt' ein scheußlich Gesicht. Da fuhr ich ihm in's Haar; er sprang auf, schwur bey'm Schwert mir, Frieden zu brechen, Mord und Verderben. Aber stille! Wo sind wir? Welche Kluft? (Herumschnaubend) Wittre Blut... Todtenschädel und Gebein da herum. Was für ein Ort?

Satan.

Velledas Zauberhöhle; merkst du's? Dort unter den Felsentrümmern schläft ihr prophetisch Gebein.

Moloch.

Geopfert, geopfert ward hier!

Satan.

Geronnen Blut am Fels dort, Säuglingsblut, abgeschlachtet von Mutterhänden! Erwürgter, der Hölle geweihter Jünglinge Blut! Nickst du? Ha!

Moloch (auffahrend).

O Syrien, mein Syrien! (umherschnausend) Angenehme Gruft! Teufel, daß ich hier schlummern könnte!

Pferdtoll.

Mephistopheles! Wehe! Der Mond, der Mond reißt sich hervor.

Moloch.

Laß ihn, o laß, Pferdtoll! herabschimmern mir, zurückführen mir, wie Traum, jene süßen Bilder der Angst, jene warmen Ströme, die hier geraucht und sielen... Hingesunken an diesen Fels... (Sinkt entzückt nieder. Pferdtoll fahrt auf, schreyt.)

Pferdtoll.

Verderben dir zu! Des Mondes Strahl trifft mich. Für was deinen Riesenleib, Höllischer? Halt' zu, ich erblinde! Verwünscht der Zaudrer Mephistopheles!

Donner in sein Mark, Angst auf sein Herz, hält er uns auf, daß wir hinabfahren, hinab zur dunkeln Wohnung.

Satan.

Hier ist er!

(Mephistopheles tritt auf)

Pferdtoll.

Ha! Wo bleibst du heunt mit deinem Faust? Wollt' die Zeit ein ganz Geschlecht ausgetilgt haben, Mutter und Kind! Du. . . .

Mephistopheles.

Wo ich dich erwische und dich zum Willkommen schleudre, daß du neun Jahre fällst! Niedriger, nach Staub lechzender Sclave, der nichts als zerstören kann, was höhere Teufel vorher verführt. Gibst du keinen Unterschied Seelen und Seelen? (Tritt in die Mitte) Jenen königlichen Seelen, gebildet, ausgeschmückt als Lieblinge dessen, der uns niedertyrannisirt? Senk' ein Gebirg in's Meer: was darauf sitzt und lebt, eine Welt Pöbelseelen wiegt so eine einzige nicht auf, geschaffen, aus Myriaden ausgewählt, Seraph oder Teufel zu werden. Da kostet es Schweis, zu gewinnen, und du Fühlloser achtest's gering. Ha leichter würdest du in einer Sandwüste neunzig Jahre lang das Gebeth eines Büßers bekämpfen, als nur eine einzige Minute die

Laune solch eines Geistes. Wie hab' ich gearbeitet bisher! Satan! Moloch! Teufel! Die Hälfte meiner Zeit ist um. O daß ich's sage, daß ich's sage! Derjenige, der mich wie einen Knecht gedingt, wie seinen Sclaven treibt, mich, mich herunterwürdigt unter seinen Gehorsam, der Staub ... sank ich nicht, da ich's sagte? Aber Geduld, bis auch meine Zeit kommt. Höret! O höret!

Alle.

Wir hören.

Mephistopheles.

Um zwölfe diese Nacht: und zwölf mühsame Jahre sind vorüber. Ihm ankündigen muß ich's; ihm ankündigen, so heischt es unser Vertrag, und aufsagen könnt' er mir dann. Aber fürchtet nichts! O eher kann Der droben unsers Jammers gedenken, gedenken der glühenden Zähre, die unsere zerfallnen Wangen zerfrißt; eher soll's duften um uns und unter meinen brennenden Fersen blühn, eh' ich auch nur ein einziges Haar von ihm losgebe. Nicht entrinnen, nicht entrinnen soll er aus meinen Händen. Seine Schwachheit, Fleisch und Blut, Alles hab' ich im Sold; Begierden, Willen und Empfinden. Noch liegt er sorglos am spanischen Hofe, trunken von Ehrbegierde und wahnwitziger Liebe zu Arragoniens schönster Königin; träumt sich glücklich, glücklich seit dem Umgange mit mir! Ha fester will ich mich an ihn knüpfen. Nun! Nun' Wenn ich's ihm ankündige, ihn erhasche mitten im stolzen Fluge der Ehre, der Freude, und ihn niederschmettre, daß seine Adern girren und vor Angst ihm das Rückenbein knackt! Streitet gleich unsichtbar ein Mächtiger auf mich: dennoch halt' ich, werfe meine Kette dichter, die er ewig, ewig nicht lösen soll. Scheiden auch Meer und Welt uns auseinander, ich zieh' ihn herüber zu mir, bis ich rufe: aus meine Zeit! Zur Sense, zur Sense! Die Aerndt' ist da! Daß ich anklopf' und im Fackeltanz hinabführe meinen Bräutigam. Frohlocken, Jubel über uns, wenn wir aufblicken zum Himmel, sehen niederweinen zur gedämpften Harfe die Engel! Ha dann, dann! Vergrössert gehen wir einher. Braus' auf, Sturm, zersplittr' und schlage süß in mein Ohr, wie das Geheul eines sterbenden Sünders!

Pferdtoll.

Fort! Fort! Hinab!

Satan (schaudernd).

Hinab! Ha grauenvoll, verzehrend! Hinab! Und doch hat der, der uns strafen wollte, Hang und Lust in uns gelegt, daß wir uns sehnen hinab, jeder in seine traurige Behausung.

Moloch.

Hinab! Verzweiflung ergreift mich, daß ich soll, daß ich muß!

Pferdtoll (zitternd).

Prahler, als wenn nicht jeder seine Hölle mit herumtrüge!

Moloch.

Sind wir nicht die Verführer und die Zuchtmeister und gepeinigte Sclaven!

Satan.

Verruchter!

Mephistopheles (zuckend).

Ich zerschmettr', ich zerreiß' euch Alle.

Moloch.

In die Winde, in die Donner, Teufel!

(Sie fallen wild in einander, verwandeln sich und sinken. Geheul über ihnen.)

---

(Die Scene verwandelt sich in einen Saal im königlichen Schloß zu Madrid, vergüldet, prächtig erleuchtet, in der Ferne Musik. Vornen auf der einen Seite eine mit Wein und Speisen besetzte Tafel, Junker Fritz daran; Faust stehend auf der andern Seite.)

Fritzel (gähnend).

Niemand um mich herum! Mein Seel', sitz' hier wie einer, der den Bogen zu seiner Geige verloren und klimpert. Der Schurk' von einem Doctor! Mich mit nach Spanien zu schleppen und mir nicht einmahl einen Affen zur Gesellschaft zu lassen. Wart! Mein Six, dort kommt er ja selbst. Sieht er nicht aus, Gott sey bey mir, als hätten ihn Hexen geritten! Faust

Faust (vor sich).

Weg Bedenklichkeit! Bin ich nicht mehr als ein König? O sie, auf die ein ganzer Himmel voll Liebreitz geregnet, Arragoniens falbe Königin allein, allein an dieß Herz: und ich wollte mit ihr hoch, wollt' im stolzen Schwunge die niedere Erde zurückstoßen und rufen, du bist mir zu klein! Ha sie besitzen, sie! Sie allein! Ich will ihr allen meinen Reichthum zeigen, meine Schätze, will mich vor ihr stellen in meiner Macht! Schau' ich nicht auf? Wer bläst seinen Odem höher? Wer mir gleich an Pracht auf diesem prahlenden Rund? Bin ich nicht Patron? Ueber Fortunens Rad setz' ich lächelnd weg und dreh' es nach meinem Gefallen!

Fritzel.

Verdammter Monolog! Alles pur Hochmuth, Vanität und Eitelkeit, was er da Alles unter einander raisonnirt! Hier, hier steckt's ihm, im Cerebello. Ein König in Diminutivo; ein kleiner Sire. Der Königin von Arragonien Pantoffelflicker möcht' er gerne seyn. Aber wart', will dir's weisen; ich will dir deine Herrlichkeit legen! Mich so auf die Freyerey zu führen;

mich in der Keuschheit meines Herzens zu narriren! Verdammter Nigromantikus! Hörst du?

(Zieht seinen Hirschfänger)

Faust (vor sich).

Wenn's ist, daß sie mich liebt.... Mord, wenn's nicht wäre! Närrische, gierige Lust!... Was denn? Die Angst quetscht mir das Herz, daß mir das Wasser über die Augen spritzt. Es darf nicht seyn! Nein!

Fritzel.

Wie, hörst du denn nicht? Verfluchter Kerl! Bocksbeindrechsler! He, ich fordre dich heraus, heraus mit der Fuchtel, zieh' von Leder! Wie, bist du taub? Muß mir die Lunge abkeuchen. Hier in der Seite, o in der Milz... Hab' keinen firmen Odem, ein kleiner Familien-Anhang, so was aus meiner alten Nobilität, das, wär's meiner Mutter gelegen gewesen, mir ein Andrer ohne Helm und Kreuz hätte besser machen können. Eine ehrliche Heut, mein Vater; er starb an der Auszehrung. Bin weiter kein Meisterstück, aber non omnia possumus omnes. Faust! Zieh vom Leder!

Faust (immer in Gedanken).

Und doch! Ich will ihr die Hand drücken beym Tanzen; ihr's offenbaren. Ihre weiche, weiche Hand! Sie soll's empfinden. Zurück, banger Zweifel! Spring' auf, fröhliches Herz, und ergib dich den süßesten Freuden! Wie steht's, Alter?

Fritzel.

(Steckt den Hirschfänger ein) So ist's, wenn er mich anredet, hat Alles ein Ende. Potz! Bist du einmahl erwacht?

Faust.

Bravo! Wie, alter Bursch, gefällt dir dieß jovialische Leben bald? Die Pracht, mit der du bedient wirst, he? Freuden, die gleich nickenden Fräulein um dich hertaumeln und von einem Genusse zum andern dich am Ohr zupfen. Die Mütze herunter! Schluck' Harmonie! Laß dein Herz sich auf Rosen wälzen, wenn's noch sanfter Bewegung fähig ist. Auf dem Absatz herum, Freund, und genieße ganz die gloria mundi!

Fritzel.

O vanitas über vanitas! Wenn's ewig währte, närrischer verwegner Doctor!

Faust.

Pfui, Alter, deine Worte riechen nach Pöbel. Wen nanntest du da?

Fritzel.

Vanitas, das Töchterlein mit geschminkten Ohren,

langen Falten und einem Kragen von brabantischen Spitzen.

F a u st.

Wohl! Daß ihr ein Mohr die Schleppe trage; oder, wenn du lieber willst, rosenfarbne Plümage an ihrer Kappe; Perlen um's Knie, auf dem ein wohlstaffirter Falk flattert. Laßt sie so anspringen, auf einen getiegerten Barb, sie findet überall Quartier. Sag', was hältst du von diesen Zweyen?

F r i tz e l.

Welchen?

F a u st.

Einem jungfräulichen Todten-Kopf, zwey Knochen im Rachen und einem Dutzend kalter Moralen auf einem Credenzteller. Memento mori, alter Moralist, bis der Stopfer aus der Bouteille springt, dann . . . Nichts mehr davon! Unter uns, die Strickerin Delila war doch ein trefflich Stück von Oeconomie.

F r i tz e l.

Willst du mich foppen, he? Bin ich dein Narr?

F a u st.

Perfectibilitas mundi! Sie verstand ihr Amt besser, als einer, der Syllogismen dreht. Sie spann von Simsons Wirbel sich ein Fischernetz, das sie wie eine Geldtasche nachher am Gürtel trug. Nicht wahr, ehrlicher Thrasibolus, unsre Doctores Juris könnten profitiren! Ihre Gesundheit! (Schenkt ein)

Fritzel.

Ein herrlich Sinnbild, Simsons nackter Schädel, für einen, der auf Freyersfüßen geht, wie ich. Ha ha ha! Recht! Recte habes! (Vor sich) Doch Schade für den Spitzbuben, wenn ihn der Teufel hohlen soll. Muß ihm einmahl recht an's Herz predigen. Wenn er einen nur nicht so übern Haufen rennte in seinem Humor, heißt das, zu Boden plauderte. Hab' sonst eine treffliche Gabe, eine Ueberredungsmiene, ciceronisch, unbegreiflich, certe! So was, das einem die Natur mitgibt. Mein kleiner Bruder und meine alte Großmutter haben mich's oft versichert. Ecce, carissime! Bist du bald fertig, mein süß Herz?

Faust.

Meine Taube.

Fritzel.

Ein freundlich Wort, Schatz.

Faust.

So viel du willst.

Fritzel.

Ein klug Wort.

Faust.

So viel du weißt.

Fritzel.

Gut; will nicht lang Athem schöpfen, Sprünge zu machen, oder meine Lunge an einem Schwall von geschickten Ausdrücken, Gleichnissen, Distinctionen et cetera abarbeiten. Ihr seht, bin nüchtern, bey ziemlichen Sinnen. Ihr wollt lustig leben, Faust? Gut! Gut! Aber was soll aus dem Allen werden, Kind? Der Teufel wird dich über kurz oder lang einmahl holen, nicht wahr? Und wie steht's nachher mit eurer armen Seele, Herr Magnificenz?

Faust.

Der Orion dreht sich und Polar küßt ihm die Fersen. Hölzerner Zahnstocher!

Fritzel.

Wie? Was?

Faust.

Alter Sünder, predigst wieder Moral. Gelt, dich braucht er nicht zu hohlen. Fährst ihm wohl selbst in Rachen hinein.

Fritzel.

Ich? Ich dem Teufel in Rachen fahren? Was? Etwa weil ich lustig bin, scilicet in Ehren; dann und wann ein Wörtchen schwöre und dergleichen; gern hübscher Dirnen Wänglein zwicke par occasion; in Compagnie kein voll Glas vor mir sehen kann, et cetera? Horch, es ärgert mich so schon, daß ich wie ein Narr mit dir herum ziehe; daheim Haus und Hof, Küch' und Keller und Alles im Stich lasse. Bin deiner Utzereyen, deines Foppens und all' der Lumperey dazu müde. Wenn ich Kinder mache, brauchst du sie wohl zu ernähren? Was? Ist das permittirt, führt mich über Stock und Stiel mit sich in Spanien hinein, ohne meinen Consens, so im Camisol, ohne Hirschfänger, ohne Perrücke; mich, den die Natur so lang fabricirt, daß ich mich Schande halber krumm biege und daher trete, wie ein Hungerprediger, kein Aufsehen zu erregen; und wenn ich mich von Ohngefähr ausstrecke, dann in meiner hagern knochichten Majestät perfect da stehe, wie der Riese Goliath, den ein Schulknabe mit Kreide an eine Gartenthür' hingekritzelt. Odieuser Lümmel, meine Fidelität so zu mißbrauchen!

Faust.

Guck', dein Glas ist ja voll.

Fritzel.

Setz' den Organisten an einen Weberstuhl und frag' den. Bin grad' wie geknebelt, wenn ich allein saufen soll; es glitscht nicht; eine Bestialität, der nichts zu vergleichen. Sieh, wollte dir lieber allein fechten, Trommel schlagen, meinem kleinen Finger ein Mährchen erzählen, kurz alle Dinge, die sich am besten in Gesellschaft thun lassen, lieber allein thun, als so hinter einer Humpe gepflanzt seyn, ohne Prosit und Proficiat. Albern so was von dir!

Faust.

Trompeten und Pauken!

Fritzel.

Kind, was soll das bedeuten? Guck', das ist gewiß wegen dir. Ey, da kommt ja der König selbst in aller Grandezza und mit ihm ein ganzes Schock...

Faust.

Und sie, die die Welt an ihre Blicke knüpft, Aragoniens Göttin dort! Ihr lächelnder Mund! Ha wenn ein Teufel mich zur Hölle rufen wollte, so sey es mit ihren Lippen. Voran, Herr Graf, küßt den Fräulein die Hände.

Fritzel.

Sans Complimente, nur voran. Wie ein Schiff ohne Flaggen und Wimpel segl' ich hinten drein. — Ein Scandal! Der Teufels Kerl, mich in der Dünne meines Brustlatzes vor die Nase ihrer spanischen Majestäten zu stellen. Ich muß mich nur bücken, sie starren All' auf mich, wie auf ein Meerwunder.

(Der König, seine Braut, die Königin von Aragonien, Herzoge, Grafen, Minister, Hofdamen zu den Vorigen. Der Tanz beginnt im Hintergrunde.)

König.

Nein, Fama, die sonst so weitmäulicht manche

Kleinigkeit durch die Welt lärmt, ist in Ansehung des Wunders eurer erstaunlichen Geschicklichkeit und Macht stumm. Seyd noch einmahl von Herzen willkommen in unserm Pallast! Verwundert gestehn wir, daß Alles, was heute eure Geschicklichkeit uns sehen ließ, im Unerwarteten so tief alle menschlichen Ausdrücke unten läßt, als das Höchste das Niedrigste. Glücklich schätzen wir uns, daß ihr eure erhabne Person eine Zeit lang unsrer Gesellschaft leihen wollen, dieß unser Beylager zum solennesten, das je ein Prinz gefeyert, zu erheben.

Faust.

Vergebung, mein gebiethender Herr! Mir ist es Belohnung genug, daß ich im Stande gewesen, eine so hohe Aufmerksamkeit nur eine Minute lang zu unterhalten.

König.

Wir danken euch; und unsern guten Willen nicht blos in leere Worte zu verathmen, denn darin wär' uns jeder Bettler gleich, so haben wir auf Anrathen unsrer geliebtesten Braut und königlichen Schwester hier Alles hervorgesucht und, was wir als Menschen-König dem Könige der Geister Schönes darzustellen im Stande waren, um uns versammelt. Lachende Maskeraden, Mädchen mit funkelnden Wangen, die erst über Amors Köcher stolpernd sich im Frühling der Liebe fühlen, deren schwellende Reitze nach Luft schnappen, wie halb entknospete Rosen, die lüstern den grünen Flor aus einander sprengen, satter sich dem jungen Phöbus entgegen zu werfen. Hört ihr's, Schwester von Arragonien, füllt unserm Gast den Smaragd, aus dem nur Könige zu Königen trinken.

(Arragonien füllt)

Faust (vor sich).

O nun flieg' ich.... Noch einen Stoß, und ich bin am Gipfel.

König.

Und wenn ihr ausgetrunken, so verschmähet nicht, diese Schaale zu euch zu stecken. So wie man oft ein gemeines Steinchen, das besondre Flecken oder Sprünge hat, aufhebt und behält, so laßt meine Liebe zu euch eine Marke von Werth an dieser Kleinigkeit seyn. Erinnert euch immer der Freundschaft eines armen Königs dabey, der nichts im Vermögen hatte, das würdig genug gewesen wäre, einen solchen Gast zu verehren.

Arragonien.

Ich bitt' euch, mein Herr, kostet diesen Wein.

Faust.

O Himmel! Aus ihrer Hand!

König.

Ihr lächelt, da ihr's nehmet, und gedenket eurer Schätze.

Faust.

Und doch Alles geringe! Auf eure und eurer schönen Gemahlin Gesundheit! Auf eurer königlichen Schwester Gesundheit; Sie, die Perle dieser Schöpfung. Ich hab' euch Vieles gezeigt; aber nichts, das dieser seltnen Schönheit gleich kommt. Aus welchem Gestirn schlug die entbrannte Natur den schönen Funken, der von ihren Augen niederblitzt, Seelen entflammt und schmilzt? Gesteht es, wenn ich die Krone des perlenreichen Orients auf den goldnen Schoos Occidents hinlegte: Staub an ihrer Seite!

Arragonien.

Beschämt mich nicht; ihr hebt mich in meinem geringen Werthe zu hoch und laßt mich um so viel tiefer auf meine Unwürdigkeit herabschauen.

Faust.

Nein, nein, Königin! Kein Unrecht aus dieser Lippe! Die mohrschwarze Mitternacht müßt' eh' erröthen, eh' ihr so sanften Reitzungen Gewalt anthut. Ich schwör's euch vor diesem glänzenden Cirkel, woraus euer schönes Selbst wie ein makelloser Brillant hervorstrahlt; bey der süßen Zauberey, die Herzen an Herzen und Zepter an Hirtenstäbe hängt; und, wenn ihr wollt, bey der fürchterlichen Gewalt, die Geister an meinen Willen schlägt und immer in ängstlichem Erwarten hält, schwör' ich....

(Mephistopheles erscheint; schlägt auf Fausts Schulter.)

Mephistopheles.

Faust!

Faust.

Was willst du hier? Hinweg! — Eure Gesundheit, englische Prinzessin! Oh!

Mephistopheles.

Halt ein!

Faust.

Verderben! Laß mich!

Mephistopheles.

Höre! (Die Glocke schlägt) Faust, die Hälfte deiner Zeit ist um.

(Faust stellt die Schaale nieder.)

Mephistopheles.

Diese Minute hält, wie die gleiche Wage den Nachen deines Lebens mitten im Strom der Zeit. Noch klingt's .... (die Uhr schlägt aus) klang's .... nun ist's vorüber; vorüber zwölf gräulvolle Jahre, im Laster durchschwelgt. Hinterwärts sinken sie auf deine Rechnung und du dreheft dich nun jenem andern Ufer zu, wo ich nach zwölf Jahren deiner erwarte.

Faust.

Ha ich will dir's nicht vergessen! Wehe! Warum thust du mir das?

Mephistopheles.

Weißt du unsern Vertrag? Ich will dir an jenem Tage keinen Vorwand geben, daß du ungewarnt zur Hölle fahrest.

Faust.

Du drohst noch?

Mephistopheles.

Wer ist dein Knecht?

Faust.

Sclave!

Mephistopheles.

Rühre dich nicht, wo du nicht Staub seyn willst! Ich will dich durch's ungebahnte Chaos reissen, daß stieben soll in die Winde, in die Wetter, dein Gebein und dann mit glühender Geissel jeden Staub wieder zusammen jagen, bis auf's Neu' unter meinen Hieben sich der harmvolle niedre Schurke bildet, der hier zu meinen Füßen kriecht.

Faust.

Noch bin ich mein, kann dir entrinnen! Ich entsage dir.

Mephistopheles.

Wär' mir's um deine Seele! Ein Athemzug! An dem Hauch des letzten Röchelns wollt' ich dich noch fassen, wär's auch mitten im Wege zum Himmel. Aber so entvölkert ist unsre Hölle noch nicht. Geh, krieche, verdien' es, ein Sclave zu seyn, Prahler; wir verachten dich. (Zieht den Contract hervor) Faust, unsichtbar den Augen aller Dieser sprech' ich mit dir. Wohlan, nimm diesen Quark! (Reicht ihm das Blatt; Faust greift darnach) Ich lache deiner; aber in dem Augenblick, als du's mit der Spitze eines Fingers berührest, sey wieder, was du warest, der herabgebückte, elende, hungernde Bettler, wie ich dich vor zwölf Jahren mit zerrissnem filzigen Kleide, vom Elend zusammengeschrumpft, vor der Schwelle eines Klosters auflas, und ich will dann, eine spaßhafte Belohnung für zwölf Jahre Dienstes, dich so erniedrigen, so ekelnd tief, daß die Bedienten dieses Pallastes dich wie einen räudigen Hund mit dem Absatz zurückstoßen und deine stolze geliebte Königin hier mit weggedrehtem Haupte auf deinen lumpichten Mantel dir ein Almosen zuwerfen soll. Komm, nimm!

Faust (fährt zurück).

Millionen Qual und Elend auf dich, verrätherischer, giftiger Lügner!

Mephistopheles.

Nimm, sag' ich dir. Ha! ha!

Faust.

Ich will nicht!

Mephistopheles (auf ihn zu).

Zweymahl verdammt, oder nimm! Wählst du?

Faust.

Wehe! Unglückselig, wer mit Teufeln spielt! (Schlägt die Hände über dem Kopf zusammen, geht weinend ab.)

Mephistopheles (ihm nachblickend).

Dich hab' ich gekannt! Ha ha ha! Sollt' ich den Pfeil nicht zersplittern, der mich verwundet? Wer hat Mitleid mit uns? Erlöschet, Sterne, über mir, daß ich mich aufschwinge im sterbenden Glanz. Dann, wann ich über'm Höllengejauchze schwebend mich herunter stürze mit ihm ... und das ist wieder ein Punct; und so setzen wir Punct an Punct und ruhen aus, daß uns die Ewigkeit nicht zu lang werde.

# Die
# Pfalzgräfin Genovefa.

(Ein Wald, auf der einen Seite eine Felserhöhle. Trübe Herbstluft.)

(Genovefa kniet vor einem hölzernen Kreuz bethend.)

Genovefa.

Du allein prüfst die Herzen, siehst in's Verborgne, Herr, Herr! Die Tage und Nächte sind dein. Ach eine unschuldig verstoßene Mutter! Ach ihr Kind! Gott, ich vertraue ganz allein auf dich; wirst Alles lenken.

(Schmerzenreich kömmt, bringt Holz und wirft's nieder.)

Schmerzenreich.

Mutter, liebe Mutter! Bethet ihr wieder für meinen lieben Vater? O weint nicht! Sagt doch, trinkt das Täubchen denn immer aus Trübem, wenn ihm der Gatte stirbt?

Genovefa.

Ja.

Schmerzenreich.

Immer und immer? Und sitzt auf dürrem Aestchen? Das arme Vögelchen! Hab's wieder gesehn. Mutter, was ist denn ein Gatte?

Genovefa.

Wie? Das kann ich dir nicht sagen. Jemand, den man sehr liebt.

Schmerzenreich.

Bin ich dein Gatte, Mutter?

Genovefa.

Mein Engel!

Schmerzenreich.

Stirb nicht Mutter; ich müßt' auch wie das Vögelchen trauern. Hast du's gesehn, wie's so allein sitzt?

Genovefa.

Plappermaul! Lang' ein wenig Holz her, will Feuer machen, es wird kalt.

Schmerzenreich.

Wurzeln, Mutter.

Genovefa.

Iß du, mein Kind. (Vor sich) Ach mein Gott, schau' auf ihn herab, was wird noch aus uns werden. (Es fängt fern her an zu donnern)

Schmerzenreich.

Weine nicht, Mutter; ist ja noch lang Sommer. Hörst du, die Vögelchen pfeifen ja noch; die Blätter fallen noch nicht. (Es donnert)

Genovefa.

Ein Gewitter. (Es donnert näher)

Schmerzenreich.

Mutter, hörst du, es donnert sehr.

Genovefa.

Fürchtest du dich?

Schmerzenreich.

Ja, liebe Mutter! Da kommt's schwarz, sieh! Ist das Gott?

Genovefa.

Ja, mein Lieber, drum fürchte dich nicht. Im Gewitter, wie im milden Sonnenschein, ist er immer dein freundlicher Versorger und Vater.

Schmerzenreich.

Wollen bethen, liebe Mutter!

Genovefa.

Ja, mein Sohn. Komm, kniee nieder, lege deine Hände zusammen, bethe mir nach.

Allmächtiger! Wir knieen vor dir, groß bist du und herrlich, groß in Liebe. Laß mich vor dir niederfallen, starker Gott und Schöpfer!

Lobsinget mit mir, Wälder um mich; Tannen auf Gipfeln, neigt euch herab! O du mein starker Gott, du nährst und erhälst doch Alles, was du geschaffen, tränkst im Zürnen den Erdball, daß Menschen und Thiere leben. Den Hirsch auf öden Haiden verlässest du nicht, du höhlst aus den Fels und füllst mit Nachtthau ihn, daß dem Adler auf Klippen der Quell springt und er vor Gott auch Nahrung finde.

Wie bethest du denn hübsch, Schmerzenreich? Sieh, die liebe Sonne scheint wieder hinter den Bergen hervor; der Sturm schweigt.

Schmerzenreich.

Gottlob! O nach dem Regen die liebe Sonne! Mutter, wie wohl einem das, daß die Lerchen wieder pfeifen und die Amsel mit gelbem Schnabel. O mein Gott, sey mir für Alles gelobt! Der du das Turteltäubchen so treu erschaffen; der du mein Rehchen erschaffen: laß doch, bitt' ich, den Winter nicht so streng werden. Vor dir die Kniechen beugen will ich auch lehren mein Rehchen; ist's doch so freundlich und fromm, frißt grün

Gras aus meiner kleinen Hand. — Ein Regenbogen, Mutter!

Genovefa.

Horch! Was rauscht so? Hörst du?

Schmerzenreich.

Groß Geschrey, Mutter. (Man hört Hörner fern und nah) Horch!

Genovefa.

Dein Rehchen dort, dein Rehchen kommt gesprungen.

Schmerzenreich.

Mein Rehchen, mein Rehchen! Mutter, sieh, es springt zur Höhle hinein. Komm, wollen zu ihm.

(Verbergen sich in die Höhle.)

(Graf Siegfried zu Pferd mit dem Horn, steigt ab, bindet das Pferd an einen Baum.)

Siegfried.

Unruh und Gram treiben mich wechselsweise herum. Was wird's doch Alles, Alles werden! In jener Höhle mein Wild; laß. (Er legt sein Horn hin, sitzt nieder auf den Rasen) O Genovefa, Genovefa! Dich zu vergessen, Geliebte, Theure! Dich zu vergessen! Du warst mir nicht untreu; dein Geist ... immer lispelt mir's zu, als wär's deine Stimme: konntest du mich untreu glauben, du, dem ich meine Seele gab! Ich war geliebet: ach fühl' ihn, den Verlust. Ich war geliebet. Gott! Ihr Blut! Grausames Herz, das sie verurtheilen konnte! Ha! (Wischt sich die Augen) Wen seh' ich dort in jener Höhle? (Blickt um sich) In diesen fürchterlichen Wildnissen einsame Trauer; ein Crucifix, vor dem sich büßende Kniee niedergeworfen in schmerzlicher Reue, noch thränennaß. Du, der sie hingeweint, warst du unglücklich? Heiliger, verstatte, daß auch ich hier kniee, in deine Thränen die meinigen mische. (Er fällt vor das Crucifix nieder) 'Gott im Himmel! Ach wird's denn ewig in dieser Brust... ewig ohne Linderung, ohne zu erlöschen... du, du siehst's, weißt's, siehst's....

(Er fallt auf's Angesicht)

Schmerzenreich.

Ist's wieder fort? Guck, dort kniet's! Ein schöner, schöner Mantel! Wie blaß! Weint, wie meine Mutter. Ey, wenn's doch mein Vater wär'! Mutter! Kommt 'mahi heraus, Mutter. (Er lauft zu Siegfried, erwischt ihn am Mantel) Wie schön!

Siegfried (gen Himmel).

Hab's gelobt: hier mein Gebein! Ja, hier in ew'ger Trauer meine Zeit verbethen, beschließen hier ein Leben, das für mich so voll Jammer ist! Welt und Herrlichkeit, gute Nacht! Wird sie im Sterben meine abgeschiedne Seele an ihren Busen aufnehmen? Bin ich's dann werth? (Steht auf) Wer bist du? Wie kommst du hierher, Kleiner?

Schmerzenreich (läuft furchtsam, bleibt im Eingange der Hohle stehen).

Mutter! Mutter!

(Genovefa erscheint im Hintergrunde der Höhle.)

Siegfried.

Auch hier die Stimme des süßen häuslichen Gefühls, und an diesen rauhen unwirthbaren Klippen schallt der sanfte Muttername? Arme Unglückliche, was auch dich hertrieb, ich will dich sprechen, dich kennen, um Freundschaft dich bitten! Eine traurige Bekanntschaft! Wir wollen uns vereinigen in Jammer, wenn du anders recht unglücklich bist, zusammen unsre Hände gen Himmel strecken und ... (Er geht nachdenkend der Hohle zu; sie weichen zurück. Siegfried am Eingang der Höhle)

Fürchtet nichts, warum fliehet ihr! Ich bitt' euch, o misgönnt mir eure Unterredung nicht.

Genovefa.

Wirf deinen Mantel herein, bin übel bekleidet.

(Siegfried wirft den Mantel in die Höhle, Genovefa kommt darein gewickelt hervor, los ihre Haare, Schmerzenreich hinter ihr.)

Siegfried.

Welch ein Anblick! Wer bist du? Was für ein Elend treibt dich, ha! dingt dir ein so unfreundlich Lager? Hast du einen Mann, oder bist du allein? Verbüßest du etwa vorsätzliche Sünden? Du drehst das Haupt, dir sinken Thränen vom Auge? Ach Weib!

Genovefa (vor sich).

Gott, er selbst! Wie soll ich mich fassen? — Nicht heilige Gelübde zwingen mich hieher; o mein Herr, eine betrübte, jammervolle, unglückliche Frau sehet ihr vor euch hier. Gewiß, unglückselig, das ich's auch vor Thränen nicht sagen kann. O laßt mich erst weinen!

Siegfried (sich die Augen trocknend).

Ein Jammer weckt den andern. Erzähl' mir's, Frau, will mit dir weinen; wenn ich deine Geschichte gehört, dann höre die meine und weine mit mir.

Genovefa.

Ich hatt' einen Gemahl.

Siegfried.

Ist das euer Sohn?

Genovefa.

Ja, ein armes verlaßnes Waislein! Da er noch unter meinem Herzen schlief, war er schon vaterlos. Ach! Giftige Bosheit und Verrätherey raubt' ihm seinen Vater.

Siegfried.

Ihr seyd Wittwe?

Genovefa.

Eine verstoßne, ach!

Siegfried.

Euer Name. Lebt euer Gemahl noch?

Genovefa.

Ich hoff' es.

Siegfried.

Wie lange wohnt ihr hier?

Genovefa.

Fünf rauhe Winter hab' ich unter jenem Fels mit meinem Kleinen erdultet.

Siegfried.

Jammerst mich! So seyd ihr auf eures Herren Befehl hier? Weiß er eure Noth? ..

Genovefa.

Ach er denkt mich lange todt.

Siegfried.

Ich bitt' euch, edle Frau, ist's erlaubt, so misgönnt mir eure Geschichte nicht.

Genovefa.

Ach gerne! Zwar werdet ihr was Trauriges hören, das euch wenig freuen kann. Kein volles Jahr war ich mit meinem Eheherrn, dem edelsten, frömmsten Ritter vermählt, als, wie euch selbst wohl bekannt seyn muß, die Rede erscholl, es seyen häufig die Mohren in Frankreich eingefallen, mishandelten erbärmlich die Christen; Blutvergießen und allerley grausame Marter. Mein Gemahl, voll frommer menschlicher Tugend, gerührt ob diesem Jammer, entschloß sich, mit seinen tapfern Gefährten aufzubrechen, zu streiten für das Heil der Menschen und unsern heiligen Glauben. Er schwang sich bewaffnet auf's Roß, faßte noch einmahl meine Hand, sprach: leb' wohl, Getreue! Ich streite für Gott, für deinen heiligen Glauben, überlasse dich hier der Vorsorge meines ältesten, treusten Freundes!

und ob ich ihn gleich mein nicht zu vergessen beschwur, beschwur zu gedenken desjenigen, der unter meinem Herzen geruht, war's doch zum letztenmahl, daß ich ihn sah. Nicht lange, kam er siegreich zurück; aber damahls irrt' ich schon als eine arme Verbannte in diesen Wildnissen mit meinem Unmündigen, dem ich zum Jammer das Leben gab.

Siegfried.

Warum das, edle Frau? Wer verstieß euch denn?

Genovefa.

Er, den mein Gemahl mir zum Freund, zum Tröster hinterließ, sein ältester, liebster Gefährte, sein Busenfreund, der Verräther! — Kaum war mein Edler fort, als er — verdammt sey der Augenblick, wo meine traurigen Reitze solch eine Leidenschaft erweckten! — unterm Schein mich zu trösten, nicht erröthete, mir seine unverschämte Neigung zu verstehen zu geben. Wehe! Welch eine Hölle von Versprechen, Drohn, Schmeicheln, Bitten und Wuth hatt' ich da auszustehn, bis er endlich ermüdet, rasend vor Haß, mich im schmerzvollsten Zustande, stündlich niederzukommen, in einen finstern tiefen Kerker schmiß, da ich auch bald unter Thränen Mutter ward.

Siegfried.

Wehe! Was für eine Geschichte! Weib!

Genovefa.

Ich war verloren, ohne Hülfe verloren; mit Schand' überhäuft. Meinem Gemahl schrieb er in's Lager, schmähte, verlästerte meine Tugend, als hätt' ich mit einem Knaben — ich schäme mich, es euch zu wiederhohlen — weiß nicht, wie, unerlaubte Zusammenkunft gepflogen. Das mußt' ich nun alles dulten. Zwar sandt' ich heimlich Getreue mit Briefen aus; aber er erfuhr's, ließ sie gefangen nehmen und schickte an deren Statt andre falsche Zeugen, die die Sache bekräftigten; machte meinem Herren die That so gewiß, daß er endlich seine Einwilligung gab, mich mit dem unschuldigen Kinde hinzurichten. So ward ich armes Weib verurtheilt, ohne Beystand, ohne Freunde. Ach lieber Gott! Wie war mir's, als ich dieß in meinem traurigen Kerker erfuhr, als man mich gebunden hervorschleppte mit meinem unschuldigen Kinde.

Siegfried.

Schweig'! Ich bitte dich, halt' ein! Der Verräther! Der schurkische, teuflische Verräther! So war's mit mir! O mein getreues Weib! Golo! Genovefa! — Sie ist lange todt. (Betrachtet Genovefa ernsthaft) Lange! Weib, ich sagte sonst, glaubte sonst, du erzähltest meine Geschichte. Weißt du was? Ich bin dir gleich. Elender! Ach! (Schlägt auf die Brust und weint.)

Genovefa (vor sich).

Gott! Ich will mich ihm entdecken. So habt ihr auch was Liebes verloren, Herr?

Siegfried.

Ja, Weib! Ja, eine Edle, Liebe, Keusche, Getreue, wie du; eine, die ich nie verdient, die ich selbst hingerichtet. Gott!

Genovefa (zitternd).

Wäret ihr froh, sie wieder zu finden?

Siegfried.

Spottest du mein? Froh? Schau auf mich, Gott! Ha wär's möglich, sie wieder hervorzurufen! Vermöchten Jammer, Thränen, Jahre, mir sie wiederzugeben, o ich wollte ... wollte ... ha Weib! (Sie fallt ihm um den Hals)

Genovefa (schluchzend).

Mein, mein Siegfried!

Siegfried (sie zurückhaltend).

Wer bist du?

Genovefa.

Dein! Dein Weib!

Siegfried.

Gott!

Genovefa.

Genovefa! Deine Getreue! Kennst du mich nicht mehr?

Siegfried.

Ha! Laß mich sehen! (Er sieht weg) Sie ist's! Bist's! O Gott! O Gott! (Drückt sie an sein Herz) Gab dich der Himmel mir?

Genovefa.

Mein Gemahl! Mein Herr! Erkennet euern Sohn!

Siegfried (läßt sie los).

Der? Dieser? Der? — Armes unschuldiges Kind! (Er nimmt es an der Hand) Genovefa! (Bedeckt sein Angesicht, schluchzt.)

Genovefa.

Dein Vater, Schmerzenreich, dein lieber, geliebter, frommer Vater, nach dem du so oft, so sehnlich verlangt! Umfass' ihn! Küss' ihn! (Der Knabe hangt an seines Vaters Knie)

Siegfried.

Oh! Und du lebst, wohnst hier, Genovefa; ertrugst und dultetest; gedachtest nicht einmahl mein, kehrtest nicht wieder zurück, der ich vor Kummer um dich fast starb. (Er hebt sein Kind auf die Arme) Lange hab' ich euch als todt betrauert!

Genovefa.

Der im Himmel hat uns gerettet, Siegfried, hat der Unschuld Leiden gesehen, das Herz der Knechte, die auf Golo's grausamen Befehl mich umbringen sollten, hat er mit Mitleid berührt.

Siegfried (stampfend).

Golo! Verrätherischer, hündischer Golo! So hat's mir mein Engel immer im Traum gezeigt! Immer hatt' ich ihn in Verdacht. Seh' ich dich an, theures Weib, das Herz im Busen bricht mir entzwey. So elend, entblößt! Mein Kind! — Du unbarmherziger Wolf, pack' ich dich an der Kehle! .. (Er stoßt in's Hufthorn: Antwort im Wald, stoßt wieder) Sie haben mich gehört, sie kommen, er ist unter ihnen; ich will ihn niederschmettern, den Verräther, mit deinem Anblick. Der Basilisk! (Reiter aus dem Walde steigen ab, Golo darunter) Hieher, Vettern! Golo, tritt ein wenig näher; beschau', was ich die Zeit erjagt. Kennst du diese Gestalt? Herbey! Siehst du, wer hier steht?

Golo (vor sich).

Wen seh' ich? Weh mir!

Siegfried.

Ha? Kennst du sie?

Golo.

Ich kenne sie nicht.

Siegfried.

Beschauet sie, Vettern, ihr findet was Liebes an ihr.

Genovefa.

O liebe Vettern, ich bin's, ich, eure Base Genovefa.

Die Grafen alle.

Unsre Base Genovefa? Genovefa lebend! O Wunder!

Siegfried.

Was starrst du hinan, ha! Juckt dir das räudige Herz noch? Ihre erblaßten Wangen, reitzen die dein schäumend Blut nicht mehr? Nicht diese vom Weinen erstorbnen Augen? Ha Ungezicfer, das sich im Schimmer brüht, räubrischer Uhu, der mit stinkenden Flügeln Blüthen zerschlägt, die ihm nicht duften! Zu Boden, nieder mit dir, daß ich auf deine Kehle trete.

(Er zieht das Waidmesser)

Golo.

Ist's Genovefa: wohl, so thut der Himmel Wunder, mich zu strafen. Ich sage nichts mehr, bin in euern Händen, macht mit mir, was euch gefällt.

Genovefa.

O begnadigt ihn, Siegfried!

Siegfried.

Nein! (Steckt das Waidmesser ein) Zwar will ich an dem Tage, da ich meine Theure wieder fand, mich nicht mit verrätherischem Blute besudeln. Drey Grafen, meine Vettern, tretet hervor, führet ihn weg hinter jene Gebüsche, am Bach dort lohnt ihm nach seinen Thaten. (Sie führen Golo ab) Und nun, liebe Wiedergefundene, laß uns zurück.

Genovefa.

Ich hab' ein Gelübde gethan.

Siegfried.

Schweig', auch ich hab' eins gethan, hier zu sterben, der Auferstehung entgegen zu schlummern unter diesem Fels; ist's nicht so? Nur so lange, Traute, bis wir unsern Sohn hier zu seinen Würden eingesetzt, bis er stark, mannhaft, selbst gelernet, Hirt seiner Heerden zu seyn. Dann wieder hierher; und wir wollen so, wie wir gelobet, Hand in Hand wallfahrten hinauf. Dann sey mir deine freundliche Dunklung zum zweytenmahle willkommen, wohlthätige Höhle. Gesegnet, bis auf Wiedersehn.

Genovefa.

Lieber Kleiner, komm!

# Niobe,

## ein Schauspiel.

# Personen.

Apollo.
Diana.
Niobe, Königinn von Theben.

| | |
|---|---|
| Ismenes, Sipylus, Phedimas, Achor, Alphenor, Damasichton, Ilioneus, | Söhne der Niobe. |
| Euriphile, Philaide, Pella, Delira, Nerine, Psyche, Laide, | Töchter der Niobe. |
| Athos, Pilon, Meros, Aegyllus, | Enkel Neptuns. |
| Clymene, Thilaite, Aspasia, Terpsichore, | Enkelinnen Neptuns. |

Kreon, ein blinder Oberpriester des Apollo.
Chor der Priester und Priesterinnen.
Chor des Volks.

# Erster Aufzug.

Oeffentlicher Platz ausser der Stadt Theben. Vorn auf der einen Seite das mit Kränzen behangne Portal und die mit Blumen überstreuten Schwellen des Tempels der Latona; gegen über unter jungen Ulmen die Bildsäulen der Diana und des Apollo auf prächtigen Fußgestellen. Im Hintergrunde erblickt man die Stadt Theben, Gebäude mit Säulengängen, Pyramiden, Obelisken und rauchende Altäre. Man hört aus der Ferne allmählig näher kommenden Lobgesang.

Diana mit losgebundnem Haar in einen blaßgrünen Leibrock und braunen Uebermantel gekleidet, ein goldner Gürtel umzingelt ihren Leib. Bogen und Pfeile trägt sie über dem Rücken an einer goldnen Schnur, kommt traurig aus dem Tempel der Latona die Stufen herunter.

Diana.

Bin ich's? Ha bin ich der gefallnen,
Der geschmähten Latona Tochter?
Nicht unter Schmerzen erliege,
Göttliches Herz!
Bruder! Bruder! Wo bleibst du?
Vergebens send' ich
Durch Wolken meine Blicke nach dir!

Komm! Komm doch!
Eins mit mir, Rächer,
Bald zu strafen die Frevler,
Bald zu strafen!
Herunter schreite die hohe Wolken=Bahn!
Schon hör' ich, hör' ich nicht in der Ferne
Hohngesänge jetzt, auf dich, Mutter,
Bruder, auf dich, auf mich!
Mich, die geschmähte Tochter und Schwester.
Ha trag' ich denn Waffen umsonst?
Bin ich etwa nicht Göttin mehr,
Daß ich's so willig erdulte!

(Sie greift nach dem Bogen)

O grausam, grausam
Müssen sterbliche Menschen büßen!
Büßen die Thränen
Die sie aus heiligen unsterblichen Augen pressen!

(Apollo auf einer Wolke.)

O Apollo, du kommst,
Anzuschauen aus deinen heiligen Augen
Unsrer geliebten Mutter Entehrung;
Kommst, zu schauen deine Schmach itzt
Und mein unerträglich banges Leiden!

(Sie sitzt auf die Stufe, lehnt ihr Haupt an die Säule und weint.)

## Apollo. *)

Halt' ein, Diana!
Theuerste Schwester, erniedre
Deine Gottheit nicht also.
Warum weinest du so sehr?

## Diana.

Sollt' ich nicht, Bruder!
Geliebter, Theurer,
Laß mich jetzt ausweinen.
Nicht aufhalten kann ich die Thräne,
Meinem göttlichen Aug' entrinnend.
Hier, hier! Auf diesen Stufen!
O du erinnerst dich wohl noch
Der süßen kindischen Tage,
Wie sie oft da saß,
Die anmuthsvolle Mutter,
Dich und mich,
Ihre blumenbekränzten Kinder
In geliebten Armen drückend.
Wir kamen hier jährlich zusammen,
Ihres Festes uns mit zu freun.

*) Apollo trägt ein goldnes Stirnband, fleischfarbnen dünnen Leibrock, der ihm geschlossen an den Gliedern sitzt, über die eine Schulter fällt vom Rücken her ein breites goldbesäumtes Purpurgewand, an einer goldnen Schnur hängt der Köcher, den Bogen trägt er in der Rechten. Die Locken schweben ihm um die Schultern. Er steht bis an den Nabel in lichten Silber-Wolken verborgen.

Ich von den Rehbergen herunter,
Du herüber von Delos,
Feyerten wir dann hier und umfingen
Frohlockend uns, als treue
Von der geliebtesten Mutter
Gebohrne Zwillings-Geschwister.
Ach und die ganze Erde war Zeuge,
War Zeuge Mond und Sonne
Am hochbewölbten Olympus,
Unsrer zärtlichen Eintracht,
Der frohen Unschuld und Liebe,
Die beyde Herzen verband.
Und gestern! gestern!
Ha den Tag sah Himmel und Erde!
Aber unsre Mutter, unsre Mutter!
Fand hi[illegible]de nicht mehr.
Keine [illegible] ihr an diesen hohen Säulen,
Kei[illegible]streut auf diesen
Zi[illegible]
[illegible]ngezündet, keine
[illegible] keine
[illegible]ädchen-Tänze
[illegible]r bereitet.

[illegible]ben, begrabe
[illegible] und Trümmer, tief begrabe
[illegible] That Angedenken!
[illegible] hier unsere Mutter;

Ehrlos verstoßen strich sie an diesen
Allein ihr geheiligten Schwellen; durfte
Nicht einmahl nahen, wo sie daheim war.
Jenseits ging ich vom Wald Schatten
Gedeckt, am hohen Cynthus
Unter meinen Gespielen
Sehnlich erwartend der lieblichen Stimme,
Die mich herüber laden sollte
Zum Mutter-Kusse.
Ach da begegnet sie mir,
In ihrer Schmach begegnet mir die Mutter;
Roth ihr Auge von Zähren,
Aufgelöst ihr schönes langes Haar
Im Winde; über die Gipfel her
Trug Echo ihr Leid.
Erschrocken hielt ich, meinen Händen
Entglitt der Jagd-Spieß, mein Busen
Klopfte laut; sie aber stand angelehnt
Am Aste der dürren Eiche,
Bitterlich ausweinend ihren Kummer.
Alle meine Gespielen senkten traurig
Die Stirnen, weinten mit ihr:
[illegible]ht meiner Augen, Diana!
[illegible] bin gefällt, o Tochter!
[illegible] meine Herrlichkeit darnieder.
[illegible] wird mich künftig noch achten!
— O daß sie verschmachte, die Stolze
[illegible]en von deinen Pfeilen, Tochter!

Ich von den Rehbergen herunter,
Du herüber von Delos,
Feyerten wir dann hier und umfingen
Frohlockend uns, als treue
Von der geliebtesten Mutter
Gebohrne Zwillings-Geschwister.
Ach und die ganze Erde war Zeuge,
War Zeuge Mond und Sonne
Am hochbewölbten Olympus,
Unsrer zärtlichen Eintracht,
Der frohen Unschuld und Liebe,
Die beyde Herzen verband.
Und gestern! gestern!
Ha den Tag sah Himmel und Erde!
Aber unsre Mutter, unsre Mutter!
Fand hier die Freude nicht mehr.
Keine Kränze geweiht ihr an diesen hohen Säulen,
Keine Blumen ihr gestreut auf diesen
Zierlichen Stufen!
Nicht Opfer ihr angezündet, keine
Gesänge voll Lob, keine
Jüngling- und Mädchen-Tänze
Hier am Tag' ihr bereitet.
O Schande!
Sink' ein, Theben, begrabe
In deinen Schutt und Trümmer, tief begrabe
Dieser schändlichen That Angedenken!
Abgewiesen ward hier unsere Mutter;

Ehrlos verstoßen strich sie an diesen
Allein ihr geheiligten Schwellen; durfte
Nicht einmahl nahen, wo sie daheim war.
Jenseits ging ich vom Wald Schatten
Gedeckt, am hohen Cynthus
Unter meinen Gespielen
Sehnlich erwartend der lieblichen Stimme,
Die mich herüber laden sollte
Zum Mutter=Kusse.
Ach da begegnet sie mir,
In ihrer Schmach begegnet mir die Mutter;
Roth ihr Auge von Zähren,
Aufgelöst ihr schönes langes Haar
Im Winde; über die Gipfel her
Trug Echo ihr Leid.
Erschrocken hielt ich, meinen Händen
Entglitt der Jagd=Spieß, mein Busen
Klopfte laut; sie aber stand angelehnet
Am Aste der dürren Eiche,
Bitterlich ausweinend ihren Kummer.
Alle meine Gespielen senkten traurig
Die Stirnen, weinten mit ihr:
Licht meiner Augen, Diana!
Ich bin gefällt, o Tochter!
Alle meine Herrlichkeit darnieder.
Wer wird mich künftig noch achten!
Niobe — O daß sie verschmachte, die Stolze,
Getroffen von deinen Pfeilen, Tochter!

O Sisyphus Quaal über sie!
Niobe! Niobe! Atlas Riesentochter,
Die Brut des verruchten Tantals.
Niobe hat Altar und Tempel
Mir heute geraubet,
Hat mein Bildniß geschlagen,
Mich und dich und Apollo,
Deinen heiligen Bruder, geschmähet.
Auch Mutter von vielen Kindern,
Hielt sie deine frommen Mädchen,
Apollos fromme Jünglinge
Von meinem Dienst' heut; scheuchte die Mütter,
Entriß ihren zitternden Händen
Die Körbe, verschüttet die Opfer,
Riß uns geheiligte Altäre nieder:
Mir, mir, rief sie im stolzen Frevel
Jauchzend durch Thebens Straßen, die
Ganze Stadt erschrack,
Blickte furchtsam zu ihr auf,
Mir opfert! Ich bin
Mehr als Latona; die Tochter Atlas,
Zeus Verwandtin bin ich!
Mutter von sieben Söhnen,
Mutter von sieben Töchtern, alle
Und alle Zwillinge!
Thörichte, länger nicht sollt ihr
Unsichtbare Götter anbethen,
Derer vergessen, die

Unter euch wandeln.
Eure Göttin ich, ich, die ihr morgen
Im Tempel verehren sollt.
Falle morgen Latona! Steig' auf
Niobe! Sie komme,
Die Geschmähte, komme morgen!
Latona begegne mir!
So weinte meine Mutter den Frevel.
Die heiligen Haine erbebten
Bey jedem Wort, des Thales Quellen
Weinten in meinen Jammer.
O Bruder! Heute der Tag,
Jetzt schon die Stunde
Des Frevels! Beginnen jetzt soll
Deine und meine und unsrer
Jammernden Mutter neue Schmach!
Sie zieht schon feyernd durch die Stadt, Niobe!
Hörst du den Hymnus? Umgeben
Von all' ihren Söhnen, allen Töchtern,
All' denen, die heute mit ihrem
Stamm sich vermählen.
Ha prangend auf stolzem Wagen,
Trotzt sie mit Kron' und Zepter unsrer Macht.
Aber tausendmahl
Treffe sie Qual statt Freude!
Tausendfach, ja tausendfach
Bezahl' an diesem Tag' ihr Frevel,
Fall' über sie Angst und Jammer!

Zerriß ihr unbändig Herz, Zähre,
Die hier auf dieser Schwelle
Meine Mutter vergoß! Zerschmilz,
Theben! Theben!
In den Thränen, die ich jetzt weine!....

(Der Gesang kommt näher)

Sinke Jammer und Elend
Auf Niobens Haus! Sie falle
Mitten in ihrem Stolz,
Und kein Gott, keine Göttin
Trage länger für sie erbarmende Gnade!

Apollo.

Auf Diana!
Laß deinen Zorn nicht
In Seufzer und Thränen schmelzen.
Göttliche Schwester,
Dir und mir
Rache verliehn vom Schicksal!

Diana.

Ha der Zukunft Tafel
Trägst du an goldner Stirn,
Apollo!

Apollo.

Kennst du diese Pfeile,
Ihren Klang?

Diana.

Schwarz wie der Orcus.
Ich kenne sie!

(Der Gesang immer näher)

Apollo.

Sie kommen schon!
Verschließ dem Frevelgesange
Dein zu heilig Ohr!
Sie kommen, begleitet vom Verderben,
Gezogen in ihren Fall.
Steig' auf zu meinem Sitz, Diana,
Steig' auf! Unheilige Thaten
Entgehn nicht ihrer Strafe.

Diana.

Versprichst du mir denn Rache
Theuerster Bruder, sage? – –

Apollo.

Bey der Tiefe des Styx,
Bey Jupiters erhabner Krone
Schwör' ich!

Diana.

Ha so komm!
Jauchze, stolzier' itzt,

Der Zwillinge Mutter! Komm, einhertretend
In aller Pracht, komm,
Höhne Latonens Kinder,
Apollo, Diana, noch einmahl!

Apollo.

Sie wird's und schwerer
Büßen ihren Frevel;
Fürchterlich erwartet sie
Qual und Jammer.
Zurückstoßend von diesen Schwellen
Den warnenden Priester; sie,
Entweihend Latonens Altar
Mit frecher Hand: dann,
Dann schrecklicher Rache Ziel,
Ueberlassen uns
Von allen Göttern!

Diana.

Ha!

Apollo.

Kalt liegt ihrer Söhne Tod
In diesem Köcher.
Schon welkt nahe dem Orcus
Ihr Stolz; umsonst
Seufzer an's rauhe Mutterherz.
Stehn wird sie

Im Tode Fels,
Aller Züchtigung höhnend!

Diana.

Fels hier?

Apollo.

Dieß Schicksal wartet auf sie.

Diana.

Ha aber zuvor noch
All' ihre Söhne niedergelegt
Von deinem Bogen,
Zu ihren Füßen wälzen zu sehn:
Bey deinen heiligen Locken,
Widerrufe nicht diese Hoffnung!

Apollo.

Unwiderruflich ist mein Wort.

Diana.

O laß mich's hinjauchzen durch die Luft,
Daß es fern höre
Die gekränkte Mutter,
Herüber komm' und ihr Herz
Weide, ihr Aug'!

Apollo.

Ruf ihr in deine Rache!

Diana.

Welche gab das Schicksal mir?

Apollo.

Niobens Töchter
Sind dir übergeben.

Diana.

Mir? sagst du, mir?

Apollo.

Ihr Leben und Tod
Steht in deiner Hand.

Diana.

O Niobe!
Ha stockt dir das Blut nicht
Bang unterm Herzen!
Du, die auf sich lud den Zorn der Götter,
Leid' und leide nun tausendfach
In schrecklicher Vollendung deines Schicksals!
Ha ihr Kinder!
Wo habt ihr solch eine Mutter verdient!

Apollo.

Noch darfst du Mitleid tragen,
Schwester! Deiner Lippe

Entging nicht
Der Todes-Schwur.

## Diana.

Ja, könnte sie jetzt gleich
Demüthig hinsinken,
Umfassen meiner Mutter Knie,
Könnt' um Vergebung sie flehu:
Erbarmen wollt' ich mich!
Aber nein! Zu stolz ihr Herz,
Zu süß auch meine Rache.
Nein! Nein! Kommt sie nicht dort
Mit trotzenden Blicken,
Den Himmel erschütternd,
Die Götter verschmähend?
Und ich? Ha mag einbrechen
Ueber mir der Olymp, verschütten
Mein dämmernd Licht!
Mag aufhören ehe meine Gottheit,
Eh' ich Erbormung über sie trage!
Mit ihren Töchtern Mitleid ich?
Sie, die keine Erbarmung
Mit unsrer Mutter trug!
Nein, nein, fallen sie!
Im Tode der Kinder leide die stolze Mutter,
Wie wir in unsrer Mutter Schmach!
Die letzte Rache sey mein,
Mein der letzte, all' ihren Stolz

Niederlegende Pfeil.
Das schwör' ich unwiderruflich
Bey unsrer geschmähten Mutter Zähren,
Bey diesen nassen Wangen,
Bey deinen heiligen Augen,
Bey der Tiefe des Styx,
Und Jupiters erhabner Krone!

(Sie steigt zu Apollo auf den Wagen.)

### Apollo.

Verfinstre dich, mein Licht!
Schaue nicht heut am Tage herunter,
Herunter,
Wenn Thebens Erde das Blut
Ihrer erschlagnen Königin trinkt.

### Diana.

Brecht hervor aus des Orcus
Dunkelm Schoose,
Brecht hervor, bleiche Gestalten des Todes,
Im Strahl der Nacht,
Ahnherrn von Thebens
Uraltem königlichen Stamm.

### Beyde.

Brecht hervor und empfanget
Heut eures Hauses lettes Reis.

(Beyde durch die Luft ab.)

Chor von Priestern und Priesterinnen mit blumenbekränzten Häuptern, rothe Gürtel um die schneeweißen Leibröcke; sie tragen grüne Zweige in ihren Händen, andre spielen auf Pauken, Triangeln, Flöten und Oboen einen pathetischen Marsch. Jetzt stehen sie auf beyden Seiten am Eingange des Tempels, die Musik schweigt, der Chor fängt an.

Niobe auf einem goldnen dem Sonnen-Throne ähnlichen Wagen von zwey reich überdeckten Schimmeln geführt, in einen langen milchweißen Leibrock gekleidet, den ein goldner Gürtel durchbricht. Den Rücken deckt ein purpurfarbner goldbefranzter Mantel; ihre Haare in einen stolzen Knoten am Nacken geschlungen, die Krone auf dem Haupt, den Zepter in ihrer Hand, ihre zwey jüngsten Kinder in den Armen haltend.

Auf beyden Seiten ihres Wagens gehen ihre ältern *) Söhne und Töchter mit ihren Bräuten und Bräutigamen, Abkömmlingen aus Neptuns Geschlecht. Ihrer viere tragen der Mutter goldnes Bildniß; andre schwingen Rauchfässer auf denen Weihrauch brennet. Die übrigen halten gefüllte Körbe, aus denen sie immer in den Gang der Rosse und Wagen Blumen streuen. Hinten nach kommt das Volk. Niobe steigt mit ihren Kindern aus dem Wagen. Der Gesang fängt an.

## Chor der Priester.

Hat Zeus geöffnet
Olympus Thore,

*) Alle Kinder Niobens sind in schwefelgelbe Leibröcke und rosenrothe Uebermäntel gekleidet, guldne Spangen, Stirnbänder und Gürtel. Die aus Neptuns Geschlecht tragen alle hellblaue Leibröcke und meergrüne Obergewänder, silberne Spangen, Stirnbänder und Leibgürtel.

Die güldnen Thore?
Selig!

Das Volk.

Sey uns freundlich
Auf Erden!
Mächtig erhabene
Niobe!

Chor der Priesterinnen.

Der Frauen Schönste
Winkt er hinaufwärts;
Sie steigt hinaufwärts —
Selig!

Das Volk.

Sey uns gnädig
Auf Erden!
Mächtige, herrliche
Niobe!

Chor der Priester und Priesterinnen.

Sie trägt der Adler
Am zückenden Blitze,
Sie traut dem Blitze —
Selig!

### Das Volk.

Sey uns barmherzig
Auf Erden!
Mächtige, ewige
Niobe!

### Alle.

Die Kinder Aurorens und Thetis Gespielen,
Die Kinder Latonens nicht schöner, als deine!
Es schauen die Götter von wolkigen Zinnen
Freudig hernieder auf die Geschwister;
Strahlen des Lichtes, Erben der Kraft.

### Das Volk.

Sey uns freundlich,
Schützerin Thebens,
Unter deinen Kindern!
Sey uns gnädig,
Schützerin Thebens,
Unter deinen Kindern!
Sey uns barmherzig,
Schützerin Thebens,
Unter deinen Kindern!
Mächtige, erhabene,
Mächtige, herrliche,
Ewige, göttliche
Niobe!

## Niobe.

Stolz meiner Seele, Kinder!
Kinder! die mich erheben,
In denen ich
Allgewaltig mich fühle.
Söhne! Töchter! Meine Freude,
Mein Sieg!

(Sie streckt die Arme aus, die jüngern fallen an ihren Busen, die ältern fassen ihre Hände und küssen sie zärtlich.)

Oh! oh!
Euretwegen, ihr Lieben,
Steig' ich jetzt auf zum Olymp.
Sollt' ich euch Recht und Antheil
Länger rauben am Olymp? Sollt' ich
Vergeben, was euch Göttern gebührt?
O ihr, Jupiters Enkel
Vom Vater her entsprungen,
Ew'ger Kraft, und was ich
Niobe in euch gelegt: hoch wie Wolken
Hinaufwärts steigt immer mein Sinn.
Des ewig festen Atlas Tochter,
Trotz' ich jedem Hohn. Es trägt
Mein Ahnherr des Donners rollenden Wagen,
Fängt auf mit trüber Stirne
Der Elemente Wuth,
Des zürnenden Donnrers Blitze.
Nein! O nein!

Schreitet auf mit mir furchtlos,
Durch Euern Muth nöthigt die Ahnen,
Euch zu erkennen ihrer würdig!
Söhne, tapfre Söhne! Faßt an
Eures Großvaters
Allgewaltige Faust,
Nicht scheuend seines
Adlers, schlagenden Blitzes.
Und ihr, Töchter, frischer als der Meere
Gezogene, schöner als des Morgens
Röthliche Kinder, der Juno
Sagen eure Blicke,
Daß ihr Niobens Töchter seyd.
Groß seyd ihr entsprungen
Von mächtigen Ahnen,
Jupiter und Atlas!
Der faßt die Wolken, der Erd' und Meere,
Der lenket, der träget das All!

Das Volk.

Sey gelobt, Niobe,
Herrlich Entsproßne!
Selig Gebährende!
Mächtig Herrschende!
Sey gelobt unter deinen Kindern
Auf Erden!

Niobe.

Beschlossen hab' ich's,

Zu pflanzen heut an meinem Tage
Ein unüberwindlich ewig Geschlecht,
Kraftgießend über die geschwächten Menschen,
Bezähmend den so kühnen Sinn der Olympier droben!
Es stehe künftig, eine Mauer
Zwischen Himmel und Erde,
Nicht achtend den Zorn schwacher, üppiger Götter,
Nicht fallen lassend tiefer die Menschheit
Unter ihren eiteln Willen;
Kraft und Adel, Willen und Freyheit gebend,
Mehr Wohl dem Sohn der Erde,
Als was Prometheus in ihn stahl!
Gebt eure Hände, Söhne, Töchter!
Hier unterm weitgewölbten Himmel,
Der Kronions Tempel ist,
Des starken Neptuns Abkömmlingen;
Spross' auf aus euerm Samen
Der Wald, künftig deckend
In süßem Schatten
Die sichre, ruhige Welt.
Ich Pflanzerin leb' in euch,
Unvergessen dem Hymnus,
Im Himmel, wie auf Erden,
Bis in die graue Ewigkeit.

(Die Söhne Niobens und ihre Töchter reichen den Jünglingen und Mädchen aus Neptuns Stamme die Hände.)

Das Volk.

Schön bist du
Im Chor deiner Kinder
Gegürtet!
Schützerin Thebens!
Mächtig erhabene
Niobe!

Priester und Priesterinnen.

Die Kinder Aurorens und Thetis Gespielen,
Die Kinder Latonens nicht schöner als deine!
Es reichen die Söhne den rosigen Mädchen
Es reichen die Töchter den lockigen Knaben
Die Hände zur Treue, die Wange zum Kuß!
So mächtig Ströme
Zum Ocean wälzen,
So manche Knospen
Dem Frühling entschwellen,
So hoch der heilige
Aether sich wölbet,
Steige, wachse, blühe dein Stamm!

Das Volk.

Schön bist du
Im Chor deiner Kinder
Gegürtet,
Schützerin Thebens!
Mächtig erhabene
Niobe!

Niobe.

Auf dich soll mein Segen
Künftig fließen, treues,
Mir ergebnes Volk!
Niobe reicht gnädig
Aus ihrem Olymp
Zu euch nieder ihr Ohr.
Oeffnet nun die Thore meines Tempels,
Führet mich ein,
Aufstellend mein Bildniß,
Daß mein Volk wisse,
Wo es soll anbethen!

(Musik; die Priester und Priesterinnen ziehen die Treppe hinauf; die Pforte des Tempels öffnet sich.)

(Kreon, ein alter blinder Priester des Apollo, von zwey Opfer-Knaben geführt, kommt die Treppe herunter, er hebt den Stab auf, die Musik schweigt.)

Kreon.

Verflucht der Schritt,
Den eure Füße weiter setzen!

(Die Priester beben zurück)

Zurück, ihr Frevler!
Wagt's nicht weiter
Mit unheiligen Tritten
Diese reinen
Gottgeweihten Stufen zu beflecken!

O ihr Thebaner,
Was für eine schändliche Nacht
Deckt eure Herzen, eure Augen,
Daß ihr so Latonen,
Ihrer Kinder spottet?
Flieht, flieht!
Zur Erde werft euch, fleht,
Daß Rache euch nicht mit hinreiss'
In des Verderbens offnen Schlund!

(Der Zug hält, die Priester gehen mit gesenktem Haupte aus einander.)

Niobe.

Wer ist der Verwegene,
Tretend in den Weg uns,
An der Herrlichkeit Tag?
Am Altar
Unsrer erzürnten Gottheit
Beb' er!

Kreon.

Bebe du, Niobe!
Du bebe! Du,
Die Götter erzürnet, du,
Die verwegen
In der Gottheit Rechte greift.
Nieder hier in den Staub
Lege Kron' und Zepter

Zu Dianens, zu Apollos Füßen.
Zage, weine, flehe
Vom Rande des Verderbens dich los!

Niobe (vor sich)

Wer spricht so?
Ha meine Blitze!
Wo sind die?

Kreon.

Geflügelt eilt schon
Ueber dein Haupt her Rache,
Stürzender Fall.

Niobe.

Du sprichst nicht mit mir,
Priester?

Kreon.

Ja, stolze Königin, mit dir.

Niobe.

Und wer will mich denn stürzen?

Kreon.

Sie, die du heute geschmäht,
Der du gestern
Opfer versaget, Latona,
Mit ihren racherfüllten Kindern.

## Niobe.

Aus meinen Augen,
Du Sohn des blinden Erebus!
Der Blitz lähme deine Zunge
Für diese Worte! Sey Felsen,
Taub hinfort an allen Sinnen!
Ich sollt' Opfer bringen Latonen?
Ich, Niobe?
Du Scheusal, das, den Wunden
Der lockern Erd' entkrochen, mutterlos gesäugt
Von kranken Nebel-Dünsten,
Nicht Schönheit fühlt noch trägt!
Du Nacht am Tage!
Die lichtlosen Löcher deiner Stirne
Sind Strudel, sind überdeckte Klippen,
Woran der Schönheit Schiffe stranden.
Hättest Augen du, mich anzuschauen
Unter meinen Kindern,
Auch du würdest niederknien und anbethen
Und weinen, daß du so
Mit Worten mir genahet.
Ich will ihr keine Opfer bringen,
Deiner Latona, sag' ihr das!
Ich fühle, wer ich bin.
Laßt Hymnen ertönen Jupitern,
Dem höchsten Götter-Vater,
Vater meines Hauses!
Gewaltig über alle Himmel fest,

Wankt nie sein Stuhl;
Aber niedre Gottheiten
Verehren einander nicht.

Kreon.

O hört's nicht, ihr droben!
Wolken, umziehet die Sonne,
Verberget dem Aug' des allsehenden Tages
Diesen Gräuel!
Tragt nicht diese Worte,
Nicht in die Bergkluft tragt sie,
Winde!
Daß Dianens
Leise schlummernder Zorn
Nicht erwache zu früh,
Und Theben untersinke
Mit in ihren Fall! Königin,
Du bist zum Verderben nun reif!

Ismenes (Niobens erster Sohn).

Was schmähst du unsre Mutter?
Niobe soll Göttin seyn!

Siphyllus (der zweyte).

Göttin ist sie, wir wollen's!

Achor (der vierte).

Sterbe von unsern Händen,
Wer sie nicht anbethet!

Ismenes.

Deines Apollo Wagen
Kann auch ich künftig regieren,
Blinder!

Euriphile (Niobens Erste).

Blinder, ich trage Dianens Fackel!

Alle Kinder Niobens.

Wir sind Götter!

Niobe.

Was will Latona,
Elender, mir?
Wer ist die, die einmahl Zwillinge
Gebohren? Siebenmahl
Gebahr ich Zwillinge,
Sieben Söhne, sieben Töchter,
Alle herrlich,
Würdig ihrer Ahnen!
Sie komme, weihe
Opfer mir; hier
Führe sie den Chor auf
Zu Niobens Altar,
Wenn Mütter, die einfach gebohren,
Ihr folgen! Sie, die so lang
Mir allein gehörigen Dienst annahm,
Meine Opfer gestohlen,

Beraubet diese meine Kinder,
Dieß fromme Volk mir verführet:
Sie steig' herab jetzt von ihrem Stuhle,
Neige nun so viel tiefer
Sich nieder vor mir,
So viel ich mehr
Mutter bin als sie!

Kreon.

O ich werde bald anders
Dich reden hören! Götter! Götter!
Hier wirst du vergebens
Zu Dianen deine Hände strecken,
Sie um Erbarmen flehn;
Bald im Staube hier wird liegen
Deine Krone, besudelt
Vom Opfer der Rache.

Niobe.

Ich vor Diana niederknien?
Wer sind Latonens Kinder?
Den Bogen spannen sie, regieren
Die Fackeln am hochgewölbten Olymp.
Ha gib meinen Kindern,
Deinen Enkeln, o Jupiter,
Gib Wagen ihnen — setz' auch sie
Ueber Gestirne wie jene,
Und sie werden

Zieren deinen hochgewölbten Olymp,
Wie diese unsre Welt.
Schöner als mein Geschlecht
Hat nie eins auf Erden gewandelt!
Eröffnet mir gleich die Pforte;
Verkündiget der ganzen Stadt,
Daß ich eingeh' in meinen Tempel!
Dann, wann dreymahl ertönet
Die silberne Trommet', erklinget
Die Cymbel, Niobe dann
Empor gestiegen mit ihren Kindern
Zum Olymp. Voran!

(Der Zug beginnt wieder, Kreon hält ihn noch einmahl auf.)

### Kreon.

O Niobe, Niobe!
Bey der Liebe zu deinen Kindern:
Ich laß euch nicht!
O bey deinen Ahnherrn
Beschwör' ich: bleibe!

### Achor.

Hinweg, Schwätzer!
Priester, beginnet den Zug!
Aus dem Weg, Blinder!
Niederschlag' ich, wo du nicht weichst!

Terpsichore (Neptuns Tochter).

Laß, theurer Achor!
Schone seiner weißen Haare.
Jedes Wort von seinen Lippen
Schrecket meine Seele,
Wundet tief mein Herz.

Meros (Neptuns Sohn).

Lege deine Hand nicht an Priester,
Achor! Heilig
Sind sie den Göttern.

Athos, Pilon, Aegyllus, (Neptuns Söhne).

Wir bitten dich, Achor,
Schone sein, laß ab!

Achor.

Stille! Hinweg du,
Bringe mich nicht stärker auf!

Kreon.

Vergebens!
Nimmer laß ich euch voran.
Ueber mich hinaus
Müßt ihr nehmen euern Pfad.

Achor.

Ueber dich hinaus!
Fort!

Kreon.

O reiß' mich nicht an diesen
Greisen Locken; dafür
Wirst du büßen bald, wenn hoffnungslos
Im Tode hier
Dein eigen Haar du raufst.
Denn weit nach dir und allen
Den Deinen schon
Aufgerissen des Verderbens Schlund.

Ismenes.

Dunkelheit drückt deine Seele,
Wie dein Aug'.

Kreon.

Meine dunkeln Augen
Werden auf deinem Falle ruhn.

Ismenes.

Was sagst du, Verwegner?

Kreon (zu Achor).

Hier, wo du mich zweymahl schlugst,
Wird in kurzer Frist
Dort vor Dtanens Füßen
Der kalte Tod dir
Alle Glieder strecken.
Willst du noch mehr wissen?
Apollo gibt mir ein Zeichen.

Alle.

Zurück! Zurück!

Niobe.

Reißt ihn weg, den Verräther,
Den Mitverschwornen der Latona!
In den Staub nieder
Den Schmäher eurer Mutter,
Daß über ihn weggehe
Mein Schritt!

(Sie reissen Kreon weg, er fällt an die Stufen des Tempels. Es donnert.)

Niobe.

Herab mit den Säulen dort!
Herunter!

(Niobens Kinder schlagen nach den Säulen, Diana bricht zusammen, Apollo bleibt stehen; der Donner schlagt hinten nieder und zündet die Stadt an. Das Volk sinkt in die Knie und weint; die Priester stehen verwirrt.)

Laide (Niobens jüngste).

Nimm mich auch mit,
Mutter! Laiden trag' auf
In deinen Olymp.
Immer bleibe deinem geliebten Busen
Laide, Mutter,

Droben im Himmel,
Wie auf Erden!

(Niobe nimmt sie an der Hand und hebt sie auf die Schwelle.)

### Niobe.

Kommt auf zum Tempel,
Jauchzend im Jubel!
Aus dem Himmel herunter
Winkt seinen Enkeln
Jupiter zu. Voran im Jubel!
Springt ihm in die Arme,
Tapfre Söhne!
Feige beben beym Blitz.
Zeus Abkömmlinge
Sind ihm vertrauter,
Kennen die Furcht nicht!

(Sie steigt über Kreon hinauf. Kinder und Priester folgen ihr nach. Ein Theil des Volks bleibt knieend zurück. Eine fürchterliche Musik. Brand und Donner nehmen zu über Theben, man hört aus der Ferne Klage-Geschrey. Kreon steht auf.)

### Kreon.

Theben! Theben!
Ach wie selig
Raubst du die Augen mir,
Starker Apollo,
Nicht zu schauen an diesem Tage,

Theben zu schauen!
Aber mein Herz
Läßt seinen Kummer nicht;
Schwer trägt es
An Andrer Leiden,
Und häufet in sich
Qual auf Qual.
Theben, Theben, du sinkst!
Tief fühl' ich
Deiner stolzen Thürme Fall!
O du schöne Stadt!
Weinet, weinet
In den Fall
Der schönen Stadt!
Weinet!

## Erster Chor.

### Das Volk.

Erbarmet euch der Unschuldigen,
Erzürnte Götter!
Zerstört die Frevler!
Erbarmet euch der Unschuldigen,
Erzürnte Götter!

## Zweyter Chor.

### Das Volk.

Ist noch Hoffnung?
Des Erbarmens Hoffnung?

Rettende Götter!
Sitzet ihr alle,
Abgewandt die Augen
Ueber Thebens Fall?

(Man hört hinten Palläste einstürzen, die Flammen fressen mehr um sich, die Musik wird wilder.)

### Kreon.

Schwarz dreht sich die Wolk',
Unter ihr sinkt schon der Pallast,
Zerfressen von Flammen.
Hinunter gestürzt hat
Zeus seinen Sohn
Durch die Flammen.
Zu glücklich fiel er,
Nicht zu schauen den Jammer,
Der seines Weibes wartet,
Nicht zu schauen
Seiner Kinder
Schrecklichen Tod.
Denn ach!
Schwarz wie die Nacht,
Blutiger Rache gewiß,
Eilet Apollo,
Eilet Diana
Latonens Tempel zu.
Vor ihnen her
Laufet Neptun,

Seine geliebten
Kinder rettend.

Das Volk.

Erbarmet euch der Unschuldigen,
Erzürnte Götter!
Zerstört die Frevler!
Erbarmt euch der Unschuldigen,
Erzürnte Götter!

(Die Flammen ergreifen den nahen Tempel, Kreon und das Volk fliehen. Man hört inwendig ein schrecklich Getöse.)

---

## Zweyter Aufzug.

Die Söhne Neptuns stürzen wild die Treppen herunter.

Pilon.

Bruder! Bruder!

Athos.

Weg! weg!
Pilon! Meros! Aegyll!
Wo seyd ihr alle!

(Er reißt das blanke Schwert von der Hüfte.)

Flammen verfolgen uns!

Pilon.

Steh' uns bey, Vater Neptun!

Athos.

Kalt schlägt das Herz mir
An die Rippen.
Wer hat so gräßlich
Zum Fliehen gebothen?

Pilon.

Hörst du die Stimme?
Wer riß mich herunter
Von der Schwelle des Altars,
Herunter im Schnaufen des Rosses?
Aegyllus, Meros, schlaft ihr?
Wo eurer streitbaren Seelen Muth?
Wacht auf!

Aegyllus.

Dort in Rauch und Flammen
Theben! Es stürzen
Tief die Palläste.
Unsre Brautgemächer
Verhallen bangen Trauerton.
O Niobe, Niobe!
O mein Herz! Brüder!
Weggezogen hat uns

Vater Neptun. Ich sah' ihn
Ueber mir, des Verderbens Retter!

Meros.

O daß ich gestorben,
Eh' ich erlebet diesen Tag!
Wehe mir! Weh!
Meine Seele bangt, mir ahndet
Groß Unglück über uns Alle!
Brüder! Brüder!
O daß uns beysteh' der gewaltige Vater!
Jammer und Angst
Ueberladen mein Herz, enthüllen
Schwarze Jammer=Scenen mir nahe!

(Man hört ein fürchterlich Geschrey im Tempel; die Flammen brechen durch die Thüre hervor.)

Alle.

Wendet ab, ihr Götter!

Aegyllus.

Ha welch ein fürchterlich Getöse drinnen!
Flammen ergreifen Alles!

Pilon.

Verderben und Tod bahnen
Wechselsweis' einander die Wege.

Was ist zu thun, zu retten?
Unsre Bräute sind drinnen!

Athos.

Hinein Bruder!
Retten unsre Bräute!

Merqs.

Hinein! Ich höre meiner
Sanften Delira Stimme.
Hinein! hinein!

(Sie laufen alle vorwärts.)

Neptuns Stimme.

Zurück, Verwegene!
Kinder, zurück!

Alle.

Ha Neptuns,
Unsers Vaters Stimme!

Neptuns Stimme.

Entflieht, ich hab' euch gerettet,
Entflieht, entflieht!

Athos.

Mich faßt's in den Haaren!
Wem gilt's? Wie haben's

Die Götter gezückt?
Auf wen? O Vater,
Laß uns wissen,
Was drinnen im Tempel geschieht.

(Ein neu Geschrey im Tempel, die Töchter Neptuns stürzen angstvoll die Stufen herunter.)

Aegyllus.

Unsre Schwestern!
Sie auch getrieben durch die Pforte!
Weine nicht Meros,
Bis wir wissen, wie es drinnen steht.

Meros.

O ihr Götter! Nur allzu klar
Seh' ich mein, seh' ich unser Aller Elend.
O Schwestern! Schwestern!
Redet! Laßt uns Alles wissen!
O wo starren
Eure wilden Blicke hin?
Sagt, wie steht's um unsre Bräute?
Wo in diesem grausen
Schrecklichen Getümmel meine Delira?
Oeffnet doch die blassen Lippen! Eure Zungen
Entfesselt doch von des Schreckens Banden!
Sagt! o sagt mir,
Ist die Tauben-Treue,
Ist Delira, meine Holde,

Noch im Leben? Oder drückt
Die allerschönste Wange
Im Tode schon die Erde?

Schwestern.

Wehe! Ach Bruder!
Was sollen wir sagen!

Athos.

O so sprecht doch!

Pilon.

Redet!

Aegyllus.

Zieht das bange Loos! Du, Clymene,
Aelteste Schwester, sprich vor Allen.

Clymene.

Ach wo hohl' ich her die Worte!
Saht ihr denn nicht, ihr Brüder,
Jenen schreckenvollen Anblick?
Ha ihr waret alle schon verschwunden!
Hinauf steigend jetzt
Niobe zum Altar; geschmücket
In Schönheit, in Pracht, stehend
Herrlich, einer ähnlich,
Die Erd' und Himmel

In mächtigen Händen faßt.
Jetzt brennen schon die Opfer,
Blumen fallen zu ihren Füßen,
Die Musik ertönt,
Trompet' und Cymbel, die stolze
Königin vom Altar reißend
Latonens Bildniß, darauf
Erhebend ihr eignes: als auf einmahl,
Ha wie sprech ich's aus? die Decke
Des rundgewölbten Tempels kracht,
Auseinander sinket, getroffen
Im Donnerschlag. Flammen sprühen
In Klumpen herunter, ergreifen
Den Altar, laufen knatternd
An den Säulen hinauf:
Ha! da verwandelt sich schnell die Königin,
Nicht furchtsam, Furcht erregend;
Das Roth ihrer schönen Lippen
Entflieht, die Haare
Lebendig zerreißen
Uneins aneinander
Den stolz an ihrem Nacken
Schwebenden Knoten und kämpfen
Gegen ihr bleiches Gesicht.
Denn sie sah jetzt zuerst
Nacht sich wölben umher,
Sah durch die schreckliche Oeffnung,
Im rothen Blitz verhüllet,

Herabsteigen Apollo
Und Diana, rachelechzend!
Sie nickten fürchterlich, anspännend
Die schwarzen Bögen, schreyend:
Niobe, wir kommen herab nun,
Opfer dir zu bereiten.

Alle.

O ihr Götter! Welch Opfer!

Athos.

Voran! Der Schweis
Träufelt mir von der Stirne
Ueber eurer Erzählung!

Clymene.

Sie zogen an und schnellten,
Die Pfeile flogen — flogen!

Athos.

Nieder auf die Königin?
Saht ihr sie fallen? Ha!
Verwundet oder todt?

Alle.

Fiel die Königin?

## Clymene.

Wolkennacht trennte mich
Von meinen Schwestern, riß mich
Her zur Pforte. Mir war's
Als rief Vater Neptun über mir:
Flieht, Töchter! Da lagen heulend
Ihrer Augen beraubt die Priester
Und Priesterinnen auf einander hingeschmettert
In fürchterlichen Gruppen; es wankten
Die Altäre; Hallen hoch erbebten;
Angst hemmte den Fuß. Keuchend
Hinter mir, erblickt' ich die Schwestern.
Niobe bis an den Gürtel über den Wolken
Hervorstreitend, zu begegnen
Im Kampf jetzt den Fürchterlichen,
Ihre Hände stolz am Gürtel
Der pfeilsendenden Diana:
Bis Wolken=Nacht sie ganz verbarg
Und Angstgeschrey, röchelnd,
Wie des Todes heischre Stimme
Unser Ohr durchdrang.
Her vom Altar durch die schwarze Dämmerung
Glitten Purpur=Ströme;
Grausen fiel uns an, wir sprangen
Wild umschlungen alle
Durch die offne Pforte!

### Pilon.

Ha Kreon, Kreon!
Vorhergesagt hast du;
Aber deinen treuen Lippen
Wollte Niemand glauben!
Götter, was soll's jetzt werden!
Wer räth uns, was wir thun,
Was wir lassen sollen?

### Aegyllus.

Seht, da kommen die Priester schon,
Jetzt werden wir wissen
Wo der Jammer ruht.
Ob sie todt, die Helden-Königin,
Rachesatt die Götter,
Aufgestiegen von ihrer großen Beute,
Oder ob sie, der Opfer mehr noch begehrend,
Länger im Tempel weilen.
Was denkt ihr, Brüder? Horchet, wie stille
Auf einmahl drinnen!

(Die geblendeten Priester und Priesterinnen kommen näher her, vor.)

Sagt uns, ihr, was wir hoffen sollen.

### Priester und Priesterinnen.

Wehe, wehe! Fraget uns nicht weiter!

Athos.

Warum wollt ihr nicht reden?
Ihr müßt!

Priester und Priesterinnen.

Trauerbothen werden euch zu früh ereilen;
Laßt uns ewig fliehn!
Unheilige Flammen
Haben unser Angesicht verbrannt,
Nicht mehr Apollos schönes Licht
Am Tage zu schauen;
Nicht durch die Dämmerung her
Lunens sanfte Fackel.
Hingefesselt
An des Erebus feste Nacht,
Büßen wir durch dieses Leben
Grausam unsre Sünden!
Wehe, wehe! Fraget uns nicht weiter!
Trauerbothen werden euch zu früh ereilen!

(Alle ab)

Pilon.

Ungewißheit, fürchterlich quälend!
Was ist zu thun?

Athos.

Warum ließen wir sie ziehn?
Zwingen hätten wir sie sollen

Mit dem Schwert!
O beym Erderschüttrer Neptun,
Mir schlägt das Herz bang!
Nicht länger dult' ich; wissen
Will ich nun im Augenblicke, welche
Trauerbothen mir begegnen sollen.

(Ein neu Geschrey im Tempel, man hört Niobens Stimme. Laide, Niobens jüngste Tochter, stürzt die Treppe herunter.)

Laide.

O helfet, helfet!
Retter, ihr Bürger von Theben!
Ihr, Neptuns Kinder, rettet doch!
Meine Mutter unterliegt!
Kämpfend allein mit dem racherfüllten Gott,
Der racherfüllten Göttin.
Helft, o helfet! Eure Bräute,
Eure Bräutigame rettet drinnen!
Euriphile! Ismenes!
Theurer Bruder! Liebste Schwester!
Ach umsonst verbarg euch die Mutter
Unter ihrem Arm, strebte
Zurück zu scheuchen den
Unerbittlichen König
Mit dem schwarzen Geschoß!
Ach umsonst! Ihr liegt schon an der Erde gestreckt!
Ismenes! Euriphile!

Alle.

Was sagst du da?

Pilon.

Niobens Erstgebohrne
Vom Rache=Pfeil erschossen?

Laide.

Darnieder liegt unsers Hauses Stolz,
Sie stammeln letzte Worte, ihrer Liebe Namen.
Ja wohl, ein grausam Geschicke
Wartet unsrer Mutter,
Wartet jetzt unser Aller!
Wißt, o wißt es, beschlossen
Hat's so Latona, ich hörte
Ueber mir der Göttin Stimme:
Sterben sollen alle die, die Niobe
Gebohren. Rächen will sie
In unserm Tode jetzt
Ihrer Kinder, ihre eigne Schmach.

Alle.

Weh uns, wehe!
Was sagst du?

Laide.

Gejagt drinnen, hört ihr?
Schrecklich gejagt! Jetzt flüchten

Meine Brüder, meine Schwestern
Angstvoll um die Säulen,
Hinter ihnen her die Blutlechzenden!
Hört ihr, von Neuem Todes-Ruf!
O wehe, wehe! Eins ist wieder
Zugesandt dem Orcus!

(Man hört ein Geschrey.)

### Alle Söhne Neptuns.

Laßt uns hineinstürzen, Brüder!
Hinein! hinein!
Auch wider unsers Vaters Willen!

### Clymene.

Und todt mein Ismenes!
Todt, liebster schönster Jüngling!
Sagst du, von Apollos Pfeilen erschossen?

### Meros.

Liebe Schwester, du weinest
Nicht allein; Delira! Ach Delira!
Ich seh' dich, Apollo, Diana!
Grausame, was wollt ihr thun?

### Aegyllus.

Bruder, ha Bruder Athos,
Ermanne dich!

Athos.

Stille! Bey diesen Locken:
Ich will die sehn,
Die Euriphile mir geraubt.
Sie war mein Eigenthum,
Meiner Seele süßester Trost.
Nur ein Pfeil, Diana!
Euriphilens sanftes Herz
Nahmst du zum Ziel!
Neptunus! Neptunus!
Dir dank ich nicht diese Rettung!
Auf, Bruder! Wer Muth hat,
Folge mir! Hinein, hinein!

Pilon.

Brüder, wir rennen in unsern Tod!

Aegyllus.

Auf, laßt uns unsre Bräute retten!

Pilon.

Nun denn!
Wollen bey ihnen ruhen,
Lebendig oder todt.

Meros.

Delira, Delira! Dich muß ich finden!

(Alle die Treppe hinauf und wieder in den Tempel hinein.)

Schwestern.

Sterben lieber mit unsern Verlobten,
Als leben ohne sie!

(Alle ihren Brüdern nach.)

Laide.

O wüßt' ich nur, wohin
Mich retten, mich verbergen!
Ach Mutter, Mutter! Dich kann ich
Nicht lassen und doch zaget
Vor Angst mein Herz! Wohin,
Wohin mich verstecken, wohin?
Sterben sollen wir Alle,
Und ich! Und ich! Ha dort!
Brüder, Schwestern! Flieht ihr die Pfeile
Des Todes? O jaget
Doch nicht so grausam, so ängstlich
Meine Geschwister! Wenn ihr sie
Tödten wollt, tödtet sie barmherzig!

Siphyllus Stimme inwendig.

Hilfe! Hilfe! Erbarmen!

Laide.

Hab' Erbarmen, Latona,
Erbarmen mit uns Kindern!
Strafe doch nicht gleich
Mit bittern Todes-Pfeilen!
Nie hab' ich dich ja beleidigt!

**Siphyllus** (Aus der hintern Scene hervorlaufend).

Wohin? Wo soll ich mich
Verbergen! Weiter
Kann ich nicht! Laide!

(Er sinkt in die Knie.)

Mein Muth dahin!
Apollo, Apollo! Erbarme dich!

**Laide.**

Bruder, Bruder, hat dich
Des Todes Pfeil auch getroffen?
O nein, du lebst noch!
Sieh hinter dir die Mutter,
Sie kommt schon, dich zu schützen.

**Siphyllus.**

Vergebens! Hinter ihr
Apollo, mich zu fällen.

**Niobe** (zu ihrem Sohn auf die Seite laufend).

Nein, du sollst mir ihn nicht rauben,
Apollo!

(Apollo auf einer schwarzen Wolke hinter ihr, er spannt den Bogen, Niobe lauft ihm entgegen, er schießt, sie fallt ihm in den Bogen.)

Siphyllus.

Wehe! Bin getroffen!
Mutter! Schwester!

(Er stirbt.

Apollo.

Warum hälst du meinen Bogen?
Entweiche, Weib! Vergebens
Biegst du ihn.

Niobe.

O für die Söhne,
Die du jetzt geraubt,
Ha gib mir für die Töchter
Einen einzigen Pfeil
Aus diesem verdammten Köcher,
Daß ich ihn tief schleudre
In deiner Schlangenmutter Herz!
O Verderben über sie!
Verderben über sie, die euch gebahr,
Kinder-Würger! Euch, des Himmels,
Euch, der Erde Schande!
Zück' auf mich, die euch verachtet,
Auf mich, mich, Mörder, wenn du darfst!

Apollo.

Schreyst du, Göttin, da ich dir,

Da Diana, meine Schwester,
Opfer dir bereiten?

(Er faßt sie beym Haar.)

Hinter dir ein neues,
Dir geweiht dort!

(Er dreht ihr das Haupt in die Scene.)

Blick' auf! Diana winket dir.

Dianens Stimme.

Niobe, Göttin, komm,
Ergetze dich an unserm Opfer,
Wir weihn dir heut noch
Viele! Wir weihn!

Niobe.

Meine Kinder! Meine Philaide!
Meine Kinder!

(Sie läuft vorn die Stufen hinauf, Apollo verschwindet hinten.)

Laide.

Mutter! Mutter!
Nimm mich mit, liebe Mutter!
Bin verlassen
Von dir, aller Welt verlassen!
Nimm mich mit, Mutter!

(Ueber Siphyllus Leiche. Die Musik lind und schwermüthig.)

Ach du bist dahin,
Theurer Bruder!
Deine Schwester
Darf nicht lange weilen, dir zu folgen!
Ach die schwere Stunde
Nahet bald.
Bittre Todes=Qual
Hast schon überwunden!
Dürft' ich euch noch küssen,
Brüder, eh' ihr sterbet!
Dürftet ihr mich küssen,
Schwestern, eh' ich sterbe!

(Sie küßt ihren Bruder auf den Mund.)

Frühlings=Blumen sinken!
Theurer Bruder,
Deine Schwester
Darf nicht lange weilen, dir zu folgen!
Ihre schwere Stunde
Nahet schon!
Bittre Todes=Qual
Wird mich bald umringen!

(Sie läuft wie rückwärts gescheucht in den Tempel.)

## Dritter Aufzug.

Die Gebäude stürzen hinten nach und nach ein, es wird trübe und dunkel, die Musik schauernd erhaben.

Alphenor, Damasichton, Nerine, Delira,
(stürzen zum Tempel heraus).

Nerine.

Wohin, wohinaus jetzt!
Apollo steht uns überall entgegen,
Treibt rückwärts in den Tempel!
Will gerne bleiben bey den Lebendigen,
Bey den Menschen, verlange der Gottheit nicht!

Delira.

Wehe, zu spät!
Seht dort die Mutter!
Aus dem Weg ihr!
Wüthig schweift sie hin und her, fordernd
Zum Kampfe die Götter!

Niobe (wild hervor).

Reißt nieder, nieder den Tempel des Mars!
Bringt mir
Vulkans undurchdringliche
Waffen herbey!
Will sie herabzielen aus ihren Wolken!

Wo mein Volk, mein König!
Zur Hilfe! Feuer!
Feuer und Schwefel! Will sie
Vertilgen dort, vertilgen
Ihren Tempel! Flammen=Ströme
Aus des Cocytus Schlund!
Meine Kinder! O meine Kinder!
Apollo! Diana!
Niederträchtige Latona!
Hinter Wolken verstecket,
Höhnt sie herab auf
Niobens Schmerzen=Wuth.
Euch finden will ich noch,
Euch fassen!

(Lauft der Stadt zu.)

Delira.

Ihr nach! Ach mir schlagen
Die Knie zusammen!

Nerine.

Vergebens der Mutter Hilfe,
Vergebens unser Gebeth!
Taub die Götter, Alle wir
Geliefert der Schlachtbank,
Ohne Rettung, ohn' Erbarmen!

Alphenor.

Wo hinaus? Dort hinaus,

Seitwärts ab, kommen wir einmahl
Von diesem verfluchten Tempel.
Wehe! Nacht umgibt schon meine Blicke!
Wohin treibt mich's? Verflucht!
Angst umgibt mich von Neuem.

Delira.

Wir müssen zurück!
Getrieben, getrieben
In den Tempel zurück,
Wo unser wartet
Schmerzlicher Todes-Schlag.

(Laufen alle ab in den Tempel hinten.)

Achor.

Waffen her! Apollo! Ich will dir
Stehen! Behaupten will ich meine,
Meiner Mutter Gottheit!
Deine schwarzen Pfeile schrecken mich nicht.
Flieht nicht, Geschwister!
Heraus zu mir, zu eurer Mutter!
Bald soll's enden!
Waffen her dem Achor, will treffen
Götter-Blut, dich schlagen, dich schlagen!
Theil' mit mir aus deinem Köcher, du!
Waffen her dem Achor!
Waffen, unsterblich, wie die euern!

(Läuft hinten in den Tempel ab.)

## Pilon, Aegyllus.

### Pilon.

Siehst du den tapfern Achor fliehn?
Bruder, er hofft vergebens!
Ach! Ach!
Warum litten wir
Die frevelvolle That, o Bruder!
Vergebens jetzt dein und mein Bestreben!
Flammen fressen, wo wir helfen wollen,
Die Götter
Schießen nieder auf unsern Armen
Ihre Beute, beschlossen ist es,
An Latonens Tempel
Sollen Alle fallen,
Die Niobe gebahr!

### Aegyllus.

O Trauertag! Einen gleichen
Sah noch nie die Erde!
Du herrlich groß Geschlecht,
Du Hain von jungem Lorbeer,
Du Ring voll Pracht und Schönheit!
Gefällt, zerrissen bist du, ach!
Das Herz weint in meinem Busen,
Daß ich nicht helfen soll und kann.
O Trauer, Trauertag!

Ach Bruder, laß uns gehen, suchen
Unsern Meros!

Pilon.

Schluchzend um die holde Delira,
Die mit banger Lieb' er immer ruft,
Hört ich dort ihn durch die Halle.
Laßt uns eilen, ihn zu retten!
Traurig und gepreßt ist meine Seele;
Aber ach sein Herz, zu zärtlich,
Unterliegt dem bangen Schmerz!

Aegyllus.

Komm, Bruder!
Trauter Bruder, komm!

(Beyde ab.)

Niobe (ein Schwert und Schild in der Hand).

Feige verzweifeln, lassen
Geduldig sich schlagen.
Ha wo bist nun?
Stell dich mir entgegen, du, du!
Mit Kindern streit' ich nicht!
Mutter Latona, komm,
Aug' an Aug', Schwert an Schwert jetzt!
Komm, ich fordre dich heraus!
Wer überwindet, trage
Siegreich des Andern Haupt,

Deines setz' ich auf mein Schild,
Olympus Stärke!
Siegst du: nicht flehen
Werd' ich unter deinem Stahl.
Schlag' ab dieß Haupt, trag's
Durch die Lüfte
Auf deinem Schwert!

(Donner schlagt ihr das Schwert und Schild nieder.)

Feige streiten also!
Du fühlst, ich bin dir überlegen!
Verfolgen will ich dich auch waffenlos,
Verfolgen mit meinem Blick, meiner Hand!
Mußt dich stellen, Niederträchtige,
Des Schimpfs unwürdig,
Der meiner Zung' entströmt!
Feuer unter meinem Pfad!
Ich will dich fassen, an meinen Kindern!
Dich tief zum Orcus schleudern!
Im Kampfe steh' her!
Heraus drinnen, meine Kinder!
Heraus! Geflohn die Feigen!
Bringt mit
Die Leichen eurer Geschwister!
Heraus! Ich habe sie verscheucht!

(Die Kinder inwendig.)

O Mutter! Mutter!
Wir können nicht! Diana!

Diana tritt vor, Apollo
Hält uns, wir müssen Alle
Alle bleiben!

Niobe.

Zerbrechen soll mein Arm die
Bald euch befreyn!

(Sie stürzt hinein.)

Meros (ängstlich umherlaufend).

Wo find' ich dich?
Wo soll ich dich finden, Delira, Delira!
Wo in diesem grausen Ruin?
Delira! Bist du mir entzogen durch die Wolken?
Oder verbirgt dich die Erde,
Mitleidsvoller als diese Götter,
Die uns verfolgen!
Delira! Wärst du doch ferne!
Wärst du nur sicher, Wo's auch wär'!
Dich reißen wollt' ich
Auf meiner Schulter aus des Meeres
Geiferndem Schlund!
Hingst an Klippen du
Ueber dem Pfad giftiger, wilder Ungeheuer,
Retten sollte dich mein Arm!
Aber ach du bist hier,
Hier, wo kein Erbarmen wohnt,
Wo dich grausame Götter tödten!
O meines Stammes Vater,

Barmherzige Götter! Barmherzige!
Zeigt mir sie, bringt sie nahe
Diesem Busen, zeigt mir
Den Pfad zu ihr, laßt mich sie finden!
Erbarmet, erbarmet euch
Des unschuldigen, treuen Geschöpfes,
Das niemahls euch erzürnet!
O Liebe war, seit sie der Sonnen süßen Strahl
Zum erstenmahl empfing,
Ihr ew'ges Gefühl.
Höret auf mein Flehen! (Er kniet) laßt ab
Von weitrer Rache, raubt mir
Das Leben nicht mit!
Grausame, ich verzweifle!
Mir entfällt Sinn und Muth!
Ach eh' ihr mir sie ganz entreißt,
Laßt mich noch einmahl,
Noch einmahl sie in diese Arme drücken,
An diese Brust, die, ihrer zu gewohnt,
So sehnlich verlangend klopft!
Hört mich niemand? Vater!
Vater! Ist dein Ohr verschlossen?
O Delira, sollst du sterben?
O Delira! Meine Treue!

(Er liegt an der Säule zur Erde, stöhnt in den tiefsten Schmerz versunken.)

(Nerine und Achor die Treppe herab.)

### Nerine.

Zurück, Achor, nicht weiter!
Unsre Mutter rettet sich hieher.
Sieh wie sie durch die Flammen schreitet,
Gejagt von Dianen,
Dort stürzt nach die sanfte Pelia!
Bruder, zurück,
Um aller Götter willen
Wage dich nicht weiter!

### Achor.

Umsonst! Umsonst!
Wer reicht mir unsterbliche Waffen?
Hast zerschlagen meine Schneide, Apollo!
Weh dem, der mit Luft und Flammen ficht!
Lieber das Schwert in die Scheid' und wehrlos
Still stehen als ein Mann,
Denn eignen Unvermögens Spott!
Hörst du, Nerine?

(Man hort ein Geschrey.)

### Nerine.

Ach schrecklich!
Bruder, ist denn keine
Hoffnung für uns Kinder?

### Achor.

Meynst du? Wir wollen's doch noch wagen!
In welcher meiner Adern

Zuckt denn gottentsprungnes
Blut vom Stamme Jupiters!
Hervor, hervor!
Sind wir etwa Menschen?
Hat uns getäuscht die Mutter?
Ich will's wagen jetzt!
Ha! Liegst du,
Siphyllus! Stolzer königlicher Reiter!
Keinen schönern Jüngling sah die Erde,
Wenn er den rothen Hengst bestieg!
Vorbey, vorbey!
Mich auch wird fassen der blasse Tod.
Doch wehren will ich mich
Und rächen, wie ein Mann.

(Er kniet an Siphyllus Leiche.)

Nerine.

Was machst du, Bruder, verzweifelnd?

Achor.

Den Pfeil will ich reißen aus seinem Busen,
Das unsterbliche Geschoß,
Ihn bringen meiner Mutter.
Schlagen können wir damit Apollo!
Geh hinein,
Vom Leichnam deiner Schwester
Zeuch ab den Pfeil, bring' ihn mir.

Nerine.

Ihr Götter, das kann ich nicht!
Bruder, mich schaudert's,
Das zu thun.

Achor.

Stirb, Feige,
Getroffen von Dianens Pfeilen!
Du, Niobens Tochter nicht,
Nicht meine Schwester!
Laß mich den Pfeil dir abziehn,
Geliebtester aller meiner Brüder!
Komm, gib mir deinen Busen!
Unbrüderlich zerreiss' ich
Dein Herz; doch brüderlich,
Wenn, von Mutterhand geschleudert,
Die Gurgel unsers Feindes
Er zerreißt, juh! himmlisch Blut
Dein Blut von diesen Federn spühlt!
Hör' ich nicht der Mutter Stimme drinnen?

Nerine.

Da kommt über uns Diana!
Aus meiner Schwester Busen
Will ich auch einen Pfeil dir reißen!
Die Angst wird in mir Wuth!

### Dianens Stimme.

Ja! Pfeile send' ich euch hier!
Thörichte! Bringt eurer Mutter die!

(Nerine sinkt geschossen in die Kniee, Achor springt getroffen auf.)

### Nerine.

Bruder, ich bin getroffen!

(Sie sinkt nieder.)

### Achor.

Ergreif' mich schnell, barmherziger Tod!
Drück' los das Leben,
Daß im Schmerzens-Kampf keine Thräne
Meinem Aug' entfalle!
Apollo, darf im Sterben
Dir noch in's Antlitz sehn!

(Er sinkt an die Erde.)

### Delira (oben an der Thüre).

Zu Hilfe! Unsre Mutter
Liegt an der Erde,
In Wolken verhüllet,
Latona über ihr!
Sie kämpfen, streiten.

### Achor.

Schwester,
Hier wohnt der Tod!

Seine grause Gestalt,
Diese blutigen Pfeile!
Achor sein Name!
Flieh, wenn du fliehen kannst,
Fleh nicht um Gnade! Wehe!
O ich fühle — Himmel! diese Schmerzen
Sollen mich nicht übermannen!

(Wirft den Pfeil ihr zu)

Bring' den meiner Mutter.

Nerine.

O Schwester, bitte Latona,
Bitte Latona um Gnade!

Delira.

Ach, bin ja schon

Ach hört ihr, hört ihr unsre Mutter?

Niobens Stimme.

Nimmer will ich dich bitten!
Verflucht sey tausendfach
Meiner Kinder Blut!
Du sollst nicht siegen über mich
Sterbt, Kinder, sterbet alle!
Keines Fleh' um Mitleid.

Delira.

Ach Meros, Meros!
Nur noch einen Blick
Aus deinen Augen!
Das letzte Lebewohl!
Meros, wo find' ich dich!

(Zurück in den Tempel.)

Nerine.

Ich sage euch nicht Lebewohl!
Bald werden wir alle
Uns wieder finden, Schwester.

(Stirbt.)

Terpsichore (Neptuns Tochter).

Achor! Achor!
Bist du gerettet?
O so haben deines frommen Mädchens
Gelübde dich gerettet,
So bist du zweymahl mein,
Theuer erkauft durch Liebe, durch Gebeth!
Nerine! Rinnend noch
Der warme Strom von ihrem Busen!
Ihr Götter, was schlägt hier an der Erde?
Achor! Achor!
O was hofft' ich, was hofft' ich!

Achor.

Deine Hand im Tode,
Terpsichore!

Terpsichore.

Du schon dem Tod geweiht?
Ach brecht doch zusammen,
Gewölbe dieses Tempels, über mir!
Verschüttet uns vereint
In den tiefsten Grund, ergreifet,
Ihr Flammen, uns!
O du mein einziger Geliebter,
Meines Lebens Hoffnung,
Ist Alles denn verlohren?
Konnt' ich dich nicht erhalten?

Achor.

Umsonst! Die Welt dreht sich,
Verlohren, wir Alle!
Jetzt seh' ich's, fühl's
Im Sterben!
Gezückt haben's die Götter
Auf Niobens Stamm.
O leb' wohl!

Terpsichore.

Bleibe, bleibe!

O tausend tausend tausendmahl
Leb' wohl!

Achor.

Umfasse mich im Tode so,
Ermattend mein Aug hingekehrt
Auf dein süßes Aug! Holde Braut,
Laß mit deinem Kuß
Auf meinen Lippen
Mich hinüber schweben
In Elysium!

(Sie liegt fest auf seinem Mund, er sinkt todt zurück.)

Terpsichore.

Zieh' nach meine Seele voll Liebe,
Nach dir hin in Elysium!

(Sie sinkt ohnmächtig über die Leiche.)

Meros (erwachend).

Wie schwarz und still!
Bin ich endlich einmahl angekommen
Ueber des Todes Flüsse?
Wohn' ich im Lande des Friedens
Endlich einmahl? Sichre Ruhe,
Fern von Sturm! Wie wehen
Erquickende Winde
Von Elysiums Thal herüber!
Bald wirst du zu mir kommen,

Delira, von Dianens Pfeilen
Mir nachgesandt! Deiner warten
Will ich hier auf diesen Blumenauen;
Dir entgegen grüßen
Unter diesen seligen Bäumen.
Lächeln wirst du, daß ich zuvor dir kam!
Ach war dieß das süße Lispeln,
Der Liebe gewaltiger Klang, der meine Seele
In trunkner Wonne füllte
Und mir so zauberisch rief?
So lieblich tröstet ihre Stimme,
Wie Sternenschein aus trüber Nacht,
Wie Nachtigallenseufzer
Aus jungen Rosenlauben,
Die nun der Frühling flicht.
Es zittern alle Winde, vor Freude Thal und Aue.
Die holde Liebe schweigt:
So schweig' auch ich an deinem Herzen.
O komm, o komm! Schon ausgespannt
Nach dir sind meine Flügel,
Dich, Liebste, schützend: weile nicht!
O komm, o komm! Gewendet
Meine Blicke nach dir,
Gewartet deiner sehnlich lange,
Geliebter Schatten, wohne
In meinen Armen ewig nun,
Empfange deinen Meros, Wonne
Der ew'gen Liebe ströme

Aus deinen sel'gen Lippen
Herab auf meine Lippen.

(Er spannt die Arme aus, Delira läuft hinein.)

O Götter, Götter,
Gegeben bist du mir!
Es schlingt mein Arm sich wieder
Um deinen Leib, ich fühle
Nah deines Herzens sanften Schlag.
Weine, schluchze doch nicht länger,
Ewig, ewig bist du mein!

Delira.

Meros!

Meros.

Deine nassen Wangen ... o Geliebte,
Bring' keine Thräne herüber in Elysium.
Droben laß sie, der Erde Erbtheil.
Weine, schluchze doch nicht länger,
Du bist ewig, ewig mein!

Delira.

Meros!

Meros.

Taube!

Delira.

Höre mich,
Ehe der Tod mich faßt,
Mich aus deinen Armen reißt.

Meros.

Was sagst du?
Wären wir denn nicht
Hüben in Elysium?

Delira.

O blicke nieder!
Blick' zu deiner Seite hier,
Und hier!

Meros.

Wer erweckt mich schaudernd
Aus dem Traum der Ruhe!
Delira, leben wir noch,
Traute, zur Qual? Leben wir noch?

Delira.

Meros, meines Herzens
Süßester Name!
Dich zu segnen komm' ich jetzt.

Meros.

Mich? O warum?

Delira.

Sterben muß ich; banges Todesloos
Hat mich schon getroffen.

Meros.

Ach nein, nein, bleibe!
Du darfst mich nicht verlassen.
Willst du? Die Götter selbst
Wollen's ja nicht, mir haben
Sie's versprochen.

Delira.

O keine Rettung!
Hoffe nicht, leb' wohl!
Mir winket Diana.
Diese Thränen, Liebster,
Sinken unsrer Trennung wegen nicht:
Dich werd' ich ganz gewiß
Bald wieder sehen in Elysium.
Aber ach, die mich gebahr, Niobe,
Wo soll ich Thränen finden
All' auszuweinen meinen Jammer,
Ach Geliebter, sie erwartet bald
Ein fürchterliches Schicksal —

Meros.

Welches? Sage mir, wenn in die Zukunft
Du tiefer siehest.

Delira.

Nicht Menschentod
Ist ihr vergönnt.

Meros.

Wird sie Göttin werden,
Wonach ihr stolzes Herz gestrebt?

Delira.

Hier, wo ich steh',
Wird sie in einen Fels
Verwandelt!

Meros.

O! Beben schüttelt mich
Herab vom Scheitel bis in die Ferse!

Delira.

Zum zweytenmahl
Winkt mir Diana,
Schon hör' ich schwirren über mir
Den schwarzen Bogen,
Seh' aufgelegt den Pfeil
Der mir gilt. Lebe glücklich,
Geliebter!

Meros.

Nein, nein!
Dich laß ich nicht! Wehe!

Sie soll es einmahl wagen,
Soll kommen, dich mir zu rauben!

(Er umfaßt und hebt sie auf, sie fortzutragen. Sie wird auf seinen Armen geschossen, senkt ihr Haupt auf seine Brust und stirbt. Er steht wie erstarrt.)

Meros.

Verflucht ihr Alle droben!
Wer eurer nicht mehr bedarf,
Achtet eurer nicht viel!
Komm, Niobe, komm,
Sieh was dein Stolz vermocht!
Verheule drinnen nicht Alles,
Behalt' noch Seufzer für diesen Anblick!
Meere von Thränen reichen nicht,
All' auszuweinen deinen Jammer!
Komm, komme! Schau, wie deine Brust
Dem Orcus Beut' erzogen, wie dein Schoos
Bereitet ihm ein reiches Mahl.
Bald, bald All' aufgezehrt sie!
Wenn nun dein schrecklich Schicksal
Dich auch ergreift!

(Er legt seinen Mund an Delira's Stirne, sie liegt in seinen Armen.)

Dein Grabmahl will ich seyn, o Delira!
Verwesen sollst du so in meinen Armen,
Wenn Schmerz mich hingerafft.
Dich tragend so, dein Haupt auf meinem Busen,

Will ich übersteigen die schwarzen Flüsse,
Und in Elysium zum schönsten Leben
Mit meinem Kuß dich endlich wecken.
In dir allein hab' ich gelebt.
Nun bist du hin!

(Er hebt sie wieder empor.)

Komm, schöne Last, will dich so lange tragen
Und tragen, bis ich nicht mehr kann!
In jeden Fußtritt falle
Ein Tropfen reines Blut aus deiner Wunde.
Aus meinem Auge sinke, treue Zähre,
Und Blumen und Cypressen sprossen über mir,
Bedecken und den abgehärmten Rest
Der Todten. Während dann
Verwesung hier an unsern Leichen naget,
Ergehn sich unsre liebgebundnen Seelen, badend
In Wonneströmen dort!
Hinweg wer mir begegnet!
Bin Atlas, der eine Welt voll Jammer trägt!

Aegyllus (das Haupt in seinen Mantel verhüllet).

Ach keine Welt kann sagen, keine Zunge,
Nicht Worte fassen's, was mich drückt.
Auch du trägst Theil am königlichen Stamme,
Im Sturm der Mitternacht entweht!
Es trauren alle Blüthen, alle Aeste hängen
Zerknickt!

Meros.

Du bist Aegyll! O sage mir,
Wo find' ich Niobe?

Aegyllus.

O Bruder Meros, deine Stimme!

(Er schlägt den Mantel weg.)

Was seh' ich? Götter!
Ist Pluto heimgefallen die ganze Welt?
Tod auf der Erde, Tod über die Lebendigen!
Ha auch du hingeknickt,
Sanfte Rose, Delura!

Meros.

Betrachte sie wohl! Weg, Bruder,
Die Nacht kommt dort, kommt dicht und graus herüber,
Ich muß sie retten! Hier,
In meinen Armen, schlug sie die Göttin.
Blick' an! Medusa erstarrt,
Und ihrem Schlangenhaar entgeht
Die Kraft beym Anblick!
Hervorstarrend der verfluchte Pfeil da,
Wie Plutos verderbende Gabel
Aus meines Mädchens Brust!
Hohl' Niobe herbey, auf, zeig' ihr
Diesen Olymp!

(Er weis't auf die Todten.)

Auch ich will kommen,
Ihr diese Wunde zeigen,
Und fragen, wo die Gottheit wohnt!

(Ab mit der Leiche.)

### Aegyllus.

Geh hin! Auch du bist mir verlohren,
Theurer Meros; vollende
Deiner Schmerzen trüben Lauf!
Ach wohl ist's einem nun zu sterben an der Erde,
Wer das kann!
Dich halten wollt' ich nicht;
Was ist denn Köstliches an dieser schalen Welt!
Clymene, Schwester! Willst du mit mir ziehn
Aus dieser finstern Todes-Gruft,
Wo keine Rettung, keine Hoffnung wohnet,
Oder bleibst du lieber drinnen,
Wo immer neu dein Schmerz sich nährt?
Gib Antwort, ich kenne
Nicht deine Stimme, alle Wände
Hallen laut von Jammer und von Seufzern.

### Clymene.

Ich will mit dir gehen, Bruder.
Meine Thränen fallen zu der Götter Füßen,
Mögen die sie zählen.
Bruder, führe, führe mich
Nur bald von hinnen.

Aegyllus.

Komm, ich führe dich hinaus
Unter den freyen Himmel.
Hörst du Niobens wildes Geschrey drinnen?
Bald werden sie Alle dahin seyn!
Wie öde, wie trüb' hier herum!
O Niobe dort, sieh, wie sie schlägt, haarraufend!
Ueberall brechen Flammen ihr entgegen.
Sieh, sieh, Schwester, dort, dort!
Ha jetzt eilt sie hieher, verzweifelnd, suchend
Den Tod, der sie flieht,
Ueppig indessen am Blut ihrer Kinder schwelgt.
Schrecken dringt durch alle Gebeine mir
Bey ihrem Anblick!

Clymene.

O Götter, wie sie ras't!
Laß uns weiter, Bruder!

Aegyllus.

Die Luft bricht unter ihren schweren Seufzern.
Wo ist auch eine Mutter,
Die gelitten wie sie?
Ihr Stöhnen, es spaltet die Seele;
Zu schwach ist die Menschheit,
Mitzuempfinden ihren Schmerz!
Denn göttlich groß ist er; o meine Augen rinnen
In Wehmuth ganz dahin.

Clymene.

Laß uns, Bruder, eh' sie
Näher kommt. . . .

Aegyllus.

Wenn sie diese Aerndte sieht!
O nur noch einen Augenblick:
Laß drey helle Zähren
Niedergießen mich auf diese Leiche,
Die ich überm allgemeinen
Jammer fast vergaß.

(An Nerinens Leichnam.)

Hier, du Blume, an des Todes
Urne hingewelket!
Schöne, herzgeliebte Braut,
Du, Thebens Stolz, aller Mütter Neid!
Ruhe wohl im Tode, nimm ihn, diesen Kranz,
Welchen heute du so fröhlich brachest,
Ach so fröhlich zogst um diese meine Stirne!
Braut des Orcus und die meine,
Tritt hinunter durch die dunkle Pforte,
Und erweiche Proserpinen
Mit der tiefen Klage deiner Schmerzen!

(Er reißt den Kranz vom Haupt und legt ihn auf den Leichnam.)

Einsam will ich um dich weinen,
Stille klagen meinen Schmerz.
Komm jetzt, liebe Schwester!

Clymene.

Ohne Segen zieh' ich von dir aus,
Höhle der Schmerzen,
Höhle des Todes,
Wo die Freude meines
Lebens fiel!

(Beyde ab.)

Niobe (hereinstürzend, einen Schleyer in der Hand).

Verfolgst du mich denn immer und ewig?
Wo hinaus? Wo? Dorthin?
Oder dort hinaus? Daß ich
Noch einmahl mich rette,
Dir entflieh' aus den Schranken!
O weh, weh! Ha schlagt alle nieder!
Ich habe noch Kinder!
Ich will sie noch zählen vor euch!
Vier, es leben noch vier und zehn,
Ja zehen liegen im Grunde!
O diese nichtswürdigen Tropfen!
Was sollen Thränen hier?
Könnten Flüss' entspringen, Meere strömen
Aus diesen Augen.... O, o!

(Geschrey.)

Da kommen meine Schafe
Gebölft von höllischen Wölfen!

(Indem die übrigen Kinder Niobens hereinstürzen, fallen sogleich die zwey ältesten von Pfeilen getroffen nieder, die zwey jungsten Ilioneus und Laide laufen auf ihre Mutter zu. Niobe dreht sich in stummen Schmerzen hin und her, faßt dann ihren jungsten Sohn unter den Armen und setzt ihn Apollos Bildsaule zu Fußen.)

Niobe.

Nimm hin! Dir schenk' ich ihn, Apollo!
Der Letzte! Schenk' ihm das Leben!
Erbarm' dich, wenn du willst
Um seiner Unschuld, nicht um meinetwillen!

(Ein Pfeil schlägt den Knaben todt, er bleibt auf dem Fußgestelle liegen.)

Herrlich, Andrer Kinder zu würgen!
Apollo! Diana! Verfluchte! Sie waren
Euch nicht durch Thränen und Schmerzen theuer!
Verfluchte, nehmt auch diese Letzte!
Seht, ich kann auch
Göttlich morden, wie ihr!

(Sie schlägt nach ihrer jungsten Tochter, die sinkt und verbirgt sich hinter dem Altar.)

Hab' keine Kinder mehr!
Jetzt trotz' ich eurer Wuth!
Könnt' ich Steine beseelen, wie Pyrrha,

Eine Welt sollt' euch noch entgegen trotzen.
Aber jetzt hab' ich keine Kinder mehr
Und trage doch noch die Krone!

(Sie setzt sich unter die Leichname nieder.)

### Dianens Stimme.

Hast keine Kinder mehr!
Trägst du noch die Krone:
Ha so kennst du nun auch
Mich und meine Pfeile!

### Niobe.

Niederträchtige!
Ja ich kenne dich, kenne deine Pfeile.
Meines Lebens Freude
Haben sie geraubt.
Komm, stell' dich einmahl, laß mich
Noch einmahl dich sehn, dich treffen
Meinen Blick, einmahl, noch einmahl
Dich fassen meine Hand!

(Sie springt auf.)

### Dianens Stimme.

Hinter dich blick', Schwache, höre
Von unsterblichen Lippen dein Loos!
Mehre sich Jammer, bis dein

Stolzer Nacken bricht. Verzweifelnd
Lerne Götter ehren!

(Die drey Söhne Neptuns im Hintergrund, tragen die Leichname ihrer Bräute. Sie sitzen in den Ruinen der Stadt; man hört sie schwach rufen.)

### Neptuns Söhne.

Gib uns unsre Bräute wieder!

### Dianens Stimme.

Siehst du deine Herrlichkeit?
Beugst du bald den stolzen Nacken?

### Niobe.

Verflucht sey mir!
Nimmer, nimmer will ich
Vor dir mich beugen!

(Terpsichore erwacht auf Achors Leichnam.)

### Terpsichore.

Seh' ich dich Riesin über mir?
Verfluchte! Dein Stolz Alles geraubt!
Theben, all' deine unschuldigen Kinder
Gestürzt! Auch ihn, meinen Achor!
Meiner Seele Liebling!
Alle Tage froher Zukunft,
Alle selige Liebes=Blüthe

Weggehaucht durch dich!
Du, des Todes kalter Odem,
Grab von dein= und meinem Hause,
Häufe jede Stunde neuen
Jammer auf dein Haupt!
Häufe Elend auf dein Herz! Häufe!

(Sie sinkt wieder ohnmächtig auf den Leichnam nieder)

Niobe.

Nimmer, nimmer ehr' ich dich, Diana!
Segnung diese Flüche mir,
Herab all' auf mein Haupt!
Niobe vermag zu tragen,
Vermag des Anblicks dieser
Todes=Aerndte. Herrlich
Sind gestorben Alle, herrlich
Ziehen sie hinab in's Schattenreich,
Verkündigend drunten
Niobens Ruhm. Niobe drunten
Wird steigen mit ihren Kindern.
Du, verzweifle jetzt, daß du
Mich nicht beugen kannst! Diana, verzweifle!
Ich habe keine Kinder mehr.

Diana.

Ha fühlen sollst du
Meine Rache
Siebenfach!

Laide (hinterm Altar).

O Mutter!
Bin ich denn nicht dein Kind?

Niobe.

Nicht Mutter, wer du bist,
Stimme! Nicht Mutter; kann nicht mehr
Den Namen ertragen.
Zerreißest mir die Seele! Nicht Mutter;
Will nicht mehr Mutter seyn!

Laide.

Aber doch bin ich
Deine Laide, Mutter!

Niobe.

Laide, deine Stimme, deine Stimme!
Wo bist du? Komm.

(Sie kommt zu ihr.)

Laide.

Du hast mich von dir gestoßen;
Ach! Liebst du deine
Laide nicht mehr?

Niobe.

Ah stirb, stirb! Ich liebe dich,
Laide!

Kannst du noch gehn?
Wo ist deine Wunde?

Laide.

Ich lebe ja noch, Mutter! Drücke
Deine süßen Wangen noch!

Niobe (fühlt an ihr).

Bist du nicht geschossen?
Kein Pfeil in deinem Herzen?
Keine Wunde? Bin blind von Thränen.

Laide.

Nein Mutter, ich bin noch
Bey dir, ganz lebendig.

Niobe.

Ha schon wähnt ich mich frey,
Wie ein Adler in den Wolken:
Nun bin ich hingeschmettert
An deine Kette, Jupiter! Jupiter!

Laide.

Warum seufzest so schwer, Mutter?

Niobe.

O Diana! Diana!
Jetzt erkenn' ich deine Tücke. Götter!

Ach ihr Götter! Jetzt kann ich nicht mehr!
Weiter kann ich nicht.
Jetzt meine Kraft dahin!
O du meine einzig Letzte,
Auf der alle Mutterliebe haftet:
Erweiche nicht so sehr mein Herz!
Ach du bist zum tiefsten Jammer
Mir nur aufgespart.

L a i d e.

Werd' ich denn wie meine
Schwestern auch erschossen, Mutter,
Weil du über mir weinest?

N i o b e.

Ach Diana, schieße doch gleich
Mit deinem Pfeil sie darnieder,
Ehe sie weiter spricht.

L a i d e.

O geliebte Mutter,
Willst du, daß ich sterben soll?

N i o b e.

Ach!

L a i d e.

O du blickst mich wieder an,

Mutter, liebe Mutter
Laß mich leben.

Niobe (sie küssend).

Lebe, leb' hinaus
In alle Ewigkeit,
Bis die Götter
Auf ihren Stühlen altern!
O stünd' es in meiner Macht!
Verwachs' an mein Herz, sey eins mit mir!

Laide.

O so wirst du mich auch retten!
Sieh Diana dort:
Fürchterlich mit ihrem Bogen
Winkt sie. O verbirg,
Sie spannet auf mich, Mutter!
O! Verbirg, verbirg!

Niobe.

Wo soll ich, wo?
Kriech' in die Erde, mein Kind!
O! O! Fall' herunter, Nacht, begrabe
Auf ewig diese Welt!

Laide.

Hörst du, Mutter,
Den schrecklich schrecklichen Klang?

Mutter, bitte für mich!
Bitt' um mein junges Leben!

Niobe.

Wie soll ich denn bitten?
Diana, laß ab, laß ab!
Hast dich genug gerächet.
Laß mir die Einzige,
Ich bitte dich! Daß mir noch
Ueberbleibt zu drücken an meinen
Mütterlichen Busen, daß ich noch
Sagen kann: so waren
Meine Kinder!

Dianens Stimme.

Wolltest du das, Stolze?

Laide.

Wehe! Mutter!

(Niobe springt um Laide, sie in ihren Mantel verbergend.)

Laide.

Sie lächelt, daß ich
Die Letzte bin!

Niobe.

Hast gesiegt, Latona!

Diana, hier knie' ich im Staube
Vor euch Göttern,
Halte mein Kind in diesen
Flehenden Armen!

(Sie zieht Laiden an Dianens Fußgestell.)

Umfasse dieß Gestell mit deinen
Unschuldigen Händen, Laide!
Fleh' auf!
Mit deinen unschuldigen Blicken
Zwinge die Götter zum Erbarmen.
Ach! Ich kann nicht mehr! Kann nicht mehr!

(Laide fällt niedergeschlagen vom Pfeil zu ihrer Mutter Füßen.)

Dianens Stimme.

Zu spät deine Reue!
Ha an meiner Säule
Sollt' ich nicht rächen den Frevel?
Verzweifelnd lerne Götter ehren!

(Niobe steht auf, hebt ihre Krone aus dem Staub, besieht sie, wie sie vom Blut ihrer Kinder roth, und setzt sie wieder auf ihr Haupt.)

Niobe.

Nein! Ich bin nicht vor dir erlegen.
Diesen Knie'-Fall stahlst du mit Betrug.

Steinernes Herz, das kein Lallen
Sanfter Unschuld bewegt;
Barbarische Jungfrau, die nie
Mütterlichen Liebes-Schlag gefühlt:
Werd' einst Mutter, Alles zu leiden,
Mutter, wie ich!
Stürz' ein, Tempel,
Wo Menschen und Götter sich vergessen!
Künftigen Jahren zeige
Nicht mehr die Spur!

(Der Tempel fällt im Blitz-Schlag zusammen.)

Ha Jupiter erkennt mich wieder!
Im Duiten will ich noch überwinden!
Königin der Mütter einst:
Nun der Schmerzen Königin!
Ha mich zückt aufwärts der Vater!
Zu groß der Vernichtung
Trotz' ich der Zeit.
Jahrtausende
Werden die weinende
Niobe sehn!
Wo bin ich? Wie?
Trägt mich die Erde?
Ich war's, ich war's!
Königin der Mütter einst:
Nun Schmerzen-Königin!
Schon wälzt sich über mir der neue Himmel.

Wie wohl! Wie wohl!
Die Adern erstarren, erstarren in mir.
Es fliehen von hinnen die Felsengeschwister,
Olympus weinet und zürnet auf sie.
Sie scheuen zu schauen
Die Mutter im Kampfe;
Des Mutter-Herzens gebundene Qual!
Ha weint nicht, ihr Kinder!
Gesiegt! Gesiegt! Ich habe gesiegt!
Sie fliehn, sie fliehn, die Felsengeschwister,
Olympus weinet und zürnet auf sie.
Zu weit sie trieben
Der Rache Wonne.
Die Götter schaudern!
Niobens stummes Beben
Erschrecket sie.
Sie binden ihr Leben,
Sie halten mein Herz, ach!

(Es blitzt immer auf Niobens Schulter herunter.)

Wohl, ach wohl!
Die Adern erfrieren: kalt!
Kalt mein Busen!
Ruhig mein Herz.
Wie süß, süß
Die Lüfte weichen,
Mein Ohr sich schließt,

Das Aug' erlischt,
Die Zung' gebricht.

(Sie steht mit ausgestreckten Armen eine Weile still, die Musik nimmt einen prächtigen Schwung, der Schleyer fällt ihr aus der Hand und gleich darauf der Vorhang der Bühne.)

# edichte.

## Erstes Buch.

## Der Riese Rodan.

(Fragmente eines größern Gedichts.)

---

An des unbesiegten Rodans Felsenwohnung
Rinnt ein Quell herab;
In des Steinbachs Welle sinkt der Eiche
Wurzel-Bart hinab.

Dichtes, von dem Lichte nie geküßtes Dunkel
Sitzt in jedem Zweig;
Grauenvoll gehn der Erschlagnen Geister
Hin durch das Gesträuch.

Angelehnt am Buchstamm steht der hohe Sieger;
Blutig trieft sein Schwert.
Ihm zu Füßen röchelt ein erschlagner
Jüngling an der Erd'.

Jubelnd greift der Held nun in die goldnen Saiten,
Furchtbar schwebt der Klang.
Von der Klippe grünbewachsnem Hange
Lauscht' ich dem Gesang.

„Welch' Gebürg erzog dich, stolzer Speereführer?
Welcher Felsenschacht
Trägt an seiner Stirne goldne Waffen,
Beute deiner Schlacht?

Deine Mutter, schlug sie mit den Flügeln Wolken
Als ein Drache? Wie?
Oder schnaubte zottig sie im Walde?
Schlingt die Wege sie?

Oder stricket sie um schwarz verglühte Felsen
Ihren Schuppenleib?
Uebermenschlich stark sind deine Glieder:
Dich gebahr kein Weib!

Jüngling, wie des Mondes bleiche Strahlenscheibe,
Die ein Geist erhitzt,
Liegt dein blasses Angesicht im Staube,
Blutig schön bespritzt!

Blutig dein Gewand, dein Schild und goldner Panzer,
Purpurroth dein Speer!

Ha du mochtest Menschensöhne fällen:
Warum kamst du her

Zu des unbesiegten Rodans Felsenwohnung?
Wo bey jedem Schritt,
Wo bey jedem Odemzug dir blasser
Tod entgegen tritt!"

---

(Früh Morgens. Eine nackte Haide; hinten ein schwarzes Tannen-Thal, in das sich Ströme stürzen. Adler-Geschrey. Geheul im Walde. Der Sturm braust. Imma mit flatterndem Haar oben am Felsen.)

## Imma.

Ich hör', ich hör' des Würgers Lied erschallen,
Mein Jüngling, ach mein Jüngling ist gefallen!
Ein Todeslied durchdringt den Hain.
Wie schrecklich, schrecklich! Ha es heulet
Der Sturmgeist in dieß Lied hinein.
Und sieh, der Stern des Morgens eilet
Erschrocken weg und läßt mich hier allein.

O Tag des Jammers! Tag, in Blut gehüllet,
Trittst du durch's Morgenthor herfür!
Wie einsam, wie verlassen sitz' ich hier!
Auf meiner Locke mischt im Morgenthau
Die Thräne sich, die mir im Auge quillet.

Zu muthig, ha! zu kühn
Gingst du, mein Jüngling, in dieß Schreckensthal
Zu Rodans Felsenwohnung hin.
Verwünschter Augenblick! Ein zauberisch Geschick hielt mich gebunden,
Da ich, mein Jüngling, dich verließ,
In Rodans Thal dich gehen hieß,
Zu fällen den, den niemand kann verwunden.
Er liegt, mein Jüngling liegt gewiß
Bey Tausenden, die da den Tod gefunden,
Und röchelt, ha! und röchelt noch im Sterben
Und blickt, indem sein blaues Auge bricht,
Nach mir und wälzt sein Angesicht,
Sein blond umlocktes Angesicht im Blute.
Ha Würger! Dich ergreif' Verderben!
Schonst du des holden Jünglings nicht?
Ach seine Schönheit, konnte die nicht Mitleid ihm erwerben?
Noch zittert Thal und Wald: er fiel, er fiel!
Die Woge braust, ich sitz' in Wellen,
Die glühend auf zu meinem Herzen schwellen.
Wie angst, wie bang! Ha, Alles wieder still.
O fürchterliches Schweigen!
Zum Grabe meines Freunds wirst du dich neigen.
Zur Morgensonne steigen aus dem Hain
In schnellem Flug mit Augen voller Funken
Drey Adler ganz allein,
Vielleicht von meines Lieben Blute trunken.

Was singen sie den Wolken vor?
Braus', Lied, herab zu meinem Ohr.

### Erster Adler.

Freudig, freudig drehet
Sich mein Flammenblick, wenn die Mähne wehet;
Jauchzend, jauchzend ist mein Ruf,
Wenn die Schwerter blinken.
Ha wie süß, wie süß, mit hohler Zunge
Rauchend Blut zu trinken;
Süß, in schneller Klaue
Herzen zu zerdrücken;
Süß mit scharfem Schnabel
In's gebrochne Aug' zu picken!

### Zweyter Adler.

Auf Rodans Schultern sitzen dreyßig meiner Brüder,
Zwölf auf dem Silberhaupt:
Frohlockend schlagen sie die Flügel auf und nieder
In seinen Todtensang.
Geschrey schlägt an den Wolken wieder;
Nah der Sonne hör' ich's: ha, dann stürzt mein Flug
Nach dem Kampfplatz schnell zurück.
Nur nach Leichen ziehet mein Geruch,
Nach den Fallenden schießt mein schneller Blick.

## Dritter Adler.

Wir Sonnenflieger Rodans sind tausend an der Zahl;
Der Held tischt täglich uns ein frisches Leichen=Mahl.
Wie krümmt sich noch am blanken Schwert,
Ein frisch gefallner Jüngling auf der Erd'.
Preis dem Ernährer Rodan! Du Sonne, preis' mir ihn,
Ueber Winde, über Wolken zisch' mein schneller Fittich hin,
Daß ich bald, daß ich bald
Zum Ernährer Rodan kehre,
Zu dem Todtenwald,
Des Gefallnen letztes Röcheln höre!

## Imma.

Was war's, das schrecklicher als Sturm am Felsen klang?
O Winde, war es meines Jünglings Grabgesang?
Liegt er im Blute, sprich, der Schönste unter Allen.
Im purpurnen Gewand?

## Adler.

Gefallen ist er, tief gefallen!
Zu dir hat Rodan uns gesandt.
O weck' die bängste Klage,
Blondes Fräulein! Die schaumicht runde Hand
Fall' starr in's Saitenspiel hinab,

Daß sie Wehmuth schlage
Um deines stolzen Freundes Grab!
Hört dich der Jüngling an der Quelle,
Das Mädchen an dem Silberbach:
Durch Zweige irren sie den Trauertönen nach,
Von Mitleid glänzt ihr Auge helle,
Wenn vom gefallnen Freund dein Saitenspiel erklingt
Und Rodans, Rodans Ruhm sich bis zum Mond er=
schwingt.

## Imma.

So ist es denn, so ist es denn gewiß,
Mein Friedrich liegt, mein Liebling, meine Wonne!
O Sonne, birg' dein Haupt, o Sonne,
In trauernde Finsterniß!
Zerrissen alle Freuden! Doch, ihr Lippen,
Verschließt euch meinem Schmerz, obgleich dieß Herz
noch weint.
Fluch deiner Zung', du Rodans blut'ger Freund!
Ein Donnersturm zerschmettr' euch All' an Klippen
Und dann ein Feu'r, ein fressend Feuer
Schlag' Blitz auf Blitz dieß Thal und Hain
Und deine Brüder alle mit dem Riesen=Ungeheuer
Bis in den Mittelpunkt der Höll' hinein.
Vom Natterbisse schlage dort dein Herz noch banger,
Ha banger noch, als nun dieß Herz hier steigt,
Dir, Riese, den von Himmelflüchen schwanger
Die Finsterniß der Mordbegier gezeugt.

Ich komme, komm', ein Rächer ich, zerreissen
Die Locke, die von frischem Blute glüht,
Will stoßen dir in's Herz das heiße Rache-Eisen!
Und wenn dein schwarzer Geist entflieht,
Ruft's das Gebirg dem Sturm, der Sturm den
Wolken wieder:
Seht, Rodan, Rodan liegt, ein Weib schlug ihn
darnieder!
Voll Scham und Hohn dein Geist in's Schattenreich
entflieht.
Hinweg! Sagt es dem Riesen wieder,
Ich hab' um den Gefallenen geweint;
Doch sagt ihm auch, ich komm' und räche meinen
Freund.

## Die drey Adler.

Fräulein, Fräulein, meide diese Gegend,
Meide Rodans Thal!
Jedem, der's mit kühnen Fuß beschreitet,
Ist's ein Todesthal.

Schlachten-Söhne spie auf ihn das Mittag-
Und das Abendmeer,
Von der Mitternacht, vom Morgen
Stürmten Ritter her.

Tausend, tausend trugen Schwert und Lanze
In dieß Thal hinein;

Aber, Fräulein, keiner ging zurücke,
Ging aus Rovans Hain.

O an jeder Wurzel seines Haines,
Schläft ein Königssohn,
Schläft ein kühner, freyer, überwundner
Edler Fürstensohn!

Keine Macht und keine Gottheit wird ihn fällen,
Ehe seine Stund' erscheint.
Fliehe, Blonde, zarte Blonde, fliehe
Eh' auch deine Mutter weint.

O ihr Hügel, o ihr Berg' und Klüfte,
Und du stiller Wald,
Heult's, daß in die Winde, in die Lüfte
Thal, Land, Meer erschallt!

Daß, was sterblich ist, es höre,
Was da lebt und schwebt,
Schauernd höre, daß von hinnen kehre,
Was da kreucht und lebt.

Dann im Wonne-Bad der Geisterlieder
Eingewieget, liegt der Held;
Schwarze Stille senket ihr Gefieder
Und es bebt die Welt.

## Lied eines bluttrunknen Wodanadlers.

Was wirfst du, Sturm, die Klippen nieder?
 Was leckest du mein Mahl?
Was schlägt in meinen Trank dein brausendes Gefieder?
 Entfleuch aus diesem Thal!

Ihr tanzt, ihr Fichten und ihr Tannen,
 Frohlockend um mein Mahl!
Ha taumelt nur, voll Blutes der Tyrannen,
 Durch dieses Wonnethal!

Er ist, er ist herabgesunken,
 Der Mond in's Wonnethal!
Er sieht mich, Brüder, sieht mich trunken,
 Und eilt zu meinem Mahl.

# Der rasende Geldar.

Wer ist's, der wild
Und fürchterlich siegreich brüllt,
Das Hifthorn stößt zum blumigen Tanze?
Mit Zweigen geschmückt rollt er sein Schild
In blitzendem Mondesglanze;
Träufelnd Blut raucht von seiner Lanze.
Geyer riechen's, schreyn und fliehn.
Ach Geldar, Geldar, deine Tochter hin!
Liegt blutig in Todes Arme!
Ha sie hat troffen der Eifersuchtwüthende Rhyn!
Ha du hast wieder getroffen ihn!
Blutig fuhr sein Nacken dahin,
Niedergeschleudert von des rasenden Vaters Arme!

(Geldar blickt umher.)

Wo ist sie? Still der Pfad zu ihr!
Die Kammer schweigt! (Er erblickt sie) Hier, hier!
Willkommen, süße Tochter!

(Zerreißt seinen Kranz.)

Heult, heult, heult mit mir
Zum weidlichen Wonnegesange!

(Er hupft um den Leichnam herum.)

Lanzen, blitzt auf! Bogen, erklingt!
Singt, singt, singt, singt!
Hab' ich sie nicht erdrosselt, die Schlange?
O wie hüpft's, wie schlägt's mir so bange!
Stilles zartes Töchterlein, schläfst du noch lange?

(Sticht die Lanze in die Erde, und stößt in's Hifthorn.)

Gelt, von des Mondes Spiegel
Schlug ich den, der dein Herzchen zerdrückt?
Juch! Juch! Hab' erhascht ihn, ich Vater! Zerknickt
Mit dieser Faust den schlagenden Flügel!
Hab' ihm doch troffen die Stirne, so wild,
Bis sie geküßt herunter mein Schild!
Gesunken, gesunken, gesunken!
Dort, wo einst stirnegeschmückt,
Er meines Mädchens Wange gedrückt,
Von Löwenmondes Tänzen trunken.

(Stößt wieder in's Hifthorn.)

Könnt' ich dich wieder erwecken,
Den ganzen Erdball wollt' ich schrecken:
Aber du bist hin, bist hin!
Könnt' ich dich wieder gewinnen,
Ewig sollten meine Augen weinen.
Ach du bist hin, hin!
Rhyn, Rhyn, grausamer Rhyn!
Sie hat dich so zärtlich geliebet!
Sie hat doch kein Würmchen betrübet!
Nun ist sie hin!

Bringt ihr der Blumen Pracht,
Ob sie noch athmet, ob sie noch lacht?
Kein Klopfen mehr im Herzen!

(Er befühlt sie.)

Ha du mußt sinken, Brüstepaar!
Sollst trauern, spielendes Haar!
Sollst modern, mein Mädchen! — O Schmerzen!
Gelt, an meinem Herzen
Traf dich des Pfeiles Spitze?
Ach! an meinem Herzen,
Wie ein junges Wild, noch saugend Mutterzitze!

(Er weint.)

Werd' ich nimmer dich sehen,
Spielend im Tannenthal unter meinen Rehen?
Dir nimmer winken
Am Felsenquell, wo meine Adler trinken?
Ach! Töchterlein, so zart und lieb!
O du Herzchen, so still mir ergeben!
O Luiberth, Luiberth, dein Aeuglein, wie trüb! —

(Er fällt rasend in sein Schwert.)

Verflucht sey ohne dich das Leben!

## Das braune Fräulein.

Laßt an dem Stock die Lilje,
Laßt Ros' und Holderblüth'
Am Stengel, holde Mädchen,
Und horchet meinem Lied.

Ich sing' zerrißner Treue,
Verlaßner Liebe Schmerz,
Euch schmelzen zarte Klagen
Das wehmuthsvolle Herz.

Und du, aus tausend Mädchen
Die Frömmste, höre du
Des braunen Fräuleins Klagen
Und ihrem Jammer zu.

Es beb' dein junges Herzchen,
Verborgen jeder List;
Dein junges fühlend Herzchen,
Das ganz nur Unschuld ist.

Wenn durch die bange Saite
Des Fräuleins Seufzer steigt,
Des Fräuleins, das an Treue
Dir holdem Schäzchen gleicht:

O wenn von deinem Auge
Auch nur ein Thränlein fiel',
Gekrönt wär' dann, geheiligt
Wär' dann mein Saitenspiel.

Dort sizt an einer Eiche
Das Fräulein in dem Moos;
Viel helle Thränen rinnen
Herab in ihren Schoos.

Dreymahl schickt sie den Knaben
Zur hohen Burg hinan,
Zum Führer blauer Greise,
Dem schönsten Rittersmann.

Die Sonne eilt, sie harret
Lang unter Gluth im Thal:
Wo bleibst du, holder Ritter,
Du Trost im meiner Qual?

Doch seht, die Zweige beben,
Es rauschet um den Bach.

Mein Ritter kommt! Du bist es,
Geliebter Heinrich, ach!

Geflügelt springt sie, hänget
An seinen Nacken sich,
Küßt froh die braunen Wangen
Und weinet bitterlich.

Wo bliebst du, meine Ruhe,
Mein bester Trost, so lang?
Lang harrt' ich dein im Thale,
Ach auf der Aue lang.

Denk', unsre stille Liebe
Ist jedermann bekannt!
Mich stossen meine Freunde
Hinweg mit harter Hand.

Schütz' du mich, holder Ritter,
Mich, die ich elend bin!
Dir gab ich meine Liebe,
Ach Alles gab ich hin.

„Sey ruhig, spricht der Ritter,
Nur ruhig bis zur Nacht.
Neun Schlösser hat mein Vater,
Bethürmt und wohl bewacht.

Reitst mit mir in das schönste,
Vor allen ausgeschmückt,
Sobald vom Sternen-Himmel
Die Nacht herunter blickt."

Sollt' ich im Dunkeln fliehen,
O Rittersmann, mit dir?
Im Angesicht der Sonne
Schwurst du einst Treue mir.

O führ' vor allen Augen,
Im Hochzeit-Kranz, beblümt,
Mich aus der Jungfraun Kammer
Wie's, Liebster, sich geziemt.

„Ha, stolzes Fräulein! Glaubst du,
Mit Musik sollt' ich dich
Aus deiner Kammer führen,
Als eine Braut für mich?

Den Blumen-Kranz dir flechten
Um das gelockte Haupt?
Dem Mond zur Seit' zu stehen,
Ist Sternen nur erlaubt.

Zwar du bist süß und lieblich,
Wie Frühlings-Sonnenschein.

Doch von dem feinsten Golde
Sieh hier ein Ringelein.

Es funkelt in der Mitte
Ein doppelter Rubin,
Ein Bild der warmen Lippen
Der jungen Raugräfin,

Die mir mit ew'ger Treue
Ihn zum Geschenk heut gab;
Vom Thurme, holdes Fräulein,
Blickt sie nach mir herab."

Was, lieber holder Ritter?
Schrie hier das Fräuelein.
O bey dem hohen Himmel!
Dieß kann nicht möglich seyn.

Mich! Mich willst du verlassen,
Verlassen nun, ach Gott!
Dein armes braunes Fräulein,
Zu aller Menschen Spott!

Nein, nein, es ist nicht möglich,
Daß du mich so betrübst!
Hast doch so oft geschworen
Daß du mich ewig liebst!

Wirf in die tiefsten Fluthen
Den falschen Ring von dir!
Laß, laß mich ihn zerreißen!
Den Ring, den Ring gib mir!

„Den Ring? Daran denk' niemahls,
O zartes Fräulein!
Gleich Zwillingsbrüdern stehen
Zwey Schlösser an dem Rhein.

So lang an meinem Finger
Der Ring blinkt, sind sie mein;
Drum bitt' ich dich, o Fräulein,
Stell' alles Klagen ein.

Was hilft's, daß ich geschworen?
Dein Weinen kommt zu spät!
Der Wind hat drein gesauset,
Hat Alles weggeweht.

Sieh, bist du mir zu Willen,
Du zärtliche Jungfrau,
Sollst blühen und gedeihen,
Wie Blumen voller Thau.

Du wohnst in einem Schlößchen,
Schön wie ein Schloß der Lust,

Dein Gast bin ich kein öfters,
Verweil' an deiner Brust."

Und voller Gram und Jammer
Dreht sich das Fräulein um:
Du raubst mir meine Ehre,
Mein einzig Eigenthum.

Und willst mich nun verstoßen,
Mich, die so schmerzenwund
Dich ewig zärtlich liebet,
Dem Himmel ist es kund.

Hab' ich gleich keinen Vater,
Kein'n Bruder, der die Schmach,
Die du mir gibst, könnt' rächen,
So wird's der Himmel, ach!

Doch für dich will ich bethen,
O Jüngling, höre mich!
Laß von der reichen Gräfin,
Sie liebt dich nicht, wie ich.

Ach wälz' nicht neue Schmerzen
Auf mich, die jammervoll
Die Schmerzen einer Mutter
Ohn' dieß bald fühlen soll.

So schluchzet sie und senket
Sich vor ihm hin auf's Knie.
Es nickt die dunkle Eiche
Und säuselt sanft auf sie.

Durch ihre Locke seufzet
Das Windchen hin und späht
Der Blume nach, die thauicht
Von ihren Thränen steht.

Ach dein so zartes Klagen
Rührt Alles, Fräuelein,
Schwellt auf die heischre Quelle,
Erweicht den Kieselstein;

Nur er, der harte Ritter,
Schenkt dir nicht einen Blick.
O, ruft sie, eh' du scheidest,
Sieh noch einmahl zurück!

Ach von mir Tiefgekränkten
Geh' nicht mit Zorn erfüllt,
O Ritter, wenn du grausam
Mich nicht mehr lieben willt.

Noch einmahl diese Stimme,
Die sonst das Herz mir band!

O reich' mir noch zum letzten,
Zum letztenmahl die Hand!

Dann geh' zu deiner reichen,
Geliebten Gräfin hin!
Vielleicht wird dich es reuen,
Wann ich gestorben bin.

Du weinest schon, mein Mädchen?
Wisch' nicht das Thränlein ab.
Mehr als die reichste Perle,
Die Indien je gab,

Schmückt sie die warme Wange,
Schmückt sie dein schönes Aug'.
Wie lieb' ich diese Thräne
Am seelenvollen Aug'!

Ja Mitleid, süßes Mitleid,
Vom Himmel stammst du nur,
Vom Angesicht des Schöpfers
Stahl dich einst die Natur.

Des Wilden Herz ist grausam,
Der bessre Mensch allein
Kann tragen fremden Jammer,
Kann fühlen fremde Pein.

Laß, laß die Thräne rinnen,
Bald stürzet sie hinab,
Lockt tausend goldne Schwestern
In deinen Schoos herab.

Der wilde Ritter gehet,
Er geht, betrachtet nicht,
Wie nun am Felsen ringend
Des Fräuleins Herz zerbricht.

Stumm sitzt sie an der Erde,
Schaut bang den Himmel an.
Ach er geht fort, ich Arme!
Was soll ich fangen an?

Die du an meinem Herzen
So süß und sanfte ruhst,
Du Zeuge meiner Treue,
Daß du mit welken mußt!

Doch besser noch, es decket
Ach dein- und meine Schand'
Ein einzig's Grab auf ewig
Im kühlen weichen Sand.

Einst kämest du erwachsen:
Wo, Mutter, ist der Mann,

Den ich soll Vater nennen?
Hab' ich kein'n Vater dann?

Verstoßen, sagt' ich weinend,
Bist du, o Söhnelein,
Er liegt in andern Armen,
Nennt andre Kinder sein!

Dann würdest du, durchdrungen
Von Scham und Haß, auf mich
Und meine Wehen fluchen,
Die einst gebohren dich.

So schluchzet sie und stürzet
In zärtlichem Gemisch
Von Raserey und Liebe
In's dunkelste Gebüsch.

Wie eine trübe Quelle
Durch Klippenmoos nun bang
Zum schwarzen Thale flüchtet
In schwermuthsvollem Drang;

Wo sie nur irret, fühlet's
Des Schäfers horchend Ohr
Am seufzenden Gemurmel
Vom Weidenbusch hervor:

So fliehet sie drey Tage,
Am vierten steht sie still.
Hier ist es, wo ich ruhen
Und wo ich sterben will.

Hier unter dieser Buche,
Wo oft bey der Natur,
Beym Himmel selbst, der Falsche
Mir Lieb' und Treu' beschwur.

Einst kommt er mit der Liebsten,
Die er nun zärtlich küßt,
Vielleicht zu meinem Grabe
Und fraget, wem es ist.

Weht, Lüftchen, weht's gelinde,
Das es das meine sey,
Das Grab des braunen Fräuleins,
Die für ihn starb aus Treu'.

Sie schweigt. Da fällt vom Hügel
Ein heller Glockenschall,
Ein frohes Lärmen hallet
Zurück durch's ganze Thal.

Von hohen Thürmen flosse
Der Harfen Silberklang

Zum Hochzeitfest der Gräfin
Und ihrem Brautgesang.

Auch rühmten die Trommeten
Des Heinrichs stolze Zier,
Der siegreich sich bezeiget
Im adlichen Turnir.

Der Lilje gleich, die stürmisch
Ein Regen niederschlägt,
Sitzt hinter dunkeln Aesten
Das Fräulein unbewegt.

Gott, dieses war sein Name,
Dieß seiner Stimme Ton!
Du freust dich, holder Ritter,
Und ach ich sterbe schon.

Ach, ach, dein Mädchen sinket!
Vielleicht denkst ihrer nie!
Vielleicht daß du sie suchest,
Uud nimmer findst du sie!

So seufzet sie und blicket
Zur hohen Burg und schweigt.
Ihr braunes Auge dämmert,
Ihr Rosenmund erbleicht.

Viel goldne Thränen blinken
Herab in ihren Schoos,
Noch einmahl seufzt sie, Heinrich!
Und sinkt in's weiche Moos.

Du fällst, o braunes Fräulein,
Ein Opfer deiner Treu'.
Schleicht, zärtlichste der Winde,
Vom Blumenthal herbey,

Faßt auf das letzte Thränlein,
Das ihr im Auge blinkt,
Und tragt's zum Stern der Liebe,
Der tief in Trauer sinkt.

Ihr aber, Mädchen, höret
Das schreckliche Gericht!
Lang' weilt des Himmels Rache,
Doch ewig weilt sie nicht.

Der wilde Ritter sitzet
Am hochzeitlichen Mahl,
Zwar Freuden in den Augen,
Im Herzen Angst und Qual.

Ach denkt er: die Verstoßne,
Wo mag sie jetzo seyn,

Ihr Aeuglein Thränen gießen,
Wo jammert sie allein?

Ach! Hab' sie doch betrogen.
Ihn peinigt Angst und Qual.
Zerreißt die Hochzeitkränze
Und flieht hinab in's Thal.

Umsonst der Freunde Flehen,
Der Gräfin banger Blick,
Sein Fräulein sieht er liegen
Und schreyt und schlägt zurück.

„Ist's todt, das sanfte Händlein,
Das freundlich mich umschlang?
Ha! Todt das zarte Herzlein,
Das dann vor Freude sprang!

Ha! Freunde, seht ihr's, Freunde?
Mein erstes Weib liegt dort
Erblasset! Wenn ihr's höret,
Ich, ich hab' sie ermordt!

Was soll ich länger schweigen,
Zerreißt mich innrer Schmerz,
Ihr brach ich Lieb' und Treue,
Und dieses brach ihr Herz.

Vollends nun, Höll' und Teufel!
Er knieet auf die Erd',
Zieht wild und voller Feuer
Sein scharfgeschliffnes Schwert:

Zerschmettre falsche Herzen
Und Untreu, Donnerkeil!
Hinweg aus meinen Augen,
Die Hölle bleibt mein Theil!

Ja süßes, sanftes Mädchen
Aus Treue starbst du, ach!
Muß grausam dir nun folgen,
Dein Geist, er winket nach!"

## Anna von Trauteneck bey Ritter Golos Grab.

Nimm, was du im Leben ganz besessen,
Dieses Herz ist noch im Grabe dein!
Ach zum Leiden auserkohren,
Konnt' ich deiner nie vergessen;
Ja, du warst für mich gebohren,
Golo! Doch ein strenges Schicksal sagte: nein!

Deines Lebens schönste Blüthen sanken
Auf des Morgens purpurnes Gewand;
Räuberischer Stürme Wühlen
Bog den Stamm, zerriß die Ranken —
Ha, umringt von Angstgefühlen
Hast du nie das Glück, geliebt zu seyn, gekannt.

Nimm das letzte Opfer denn von allen!
Nimm es, frisch bethaut von meinem Schmerz.
Anna stöhnt; die schlanken Glieder
Neigen sich, die Blumen wallen
Aus den zarten Händen nieder;
O da bricht ihr mattes, losgeweintes Herz.

Wo sich jene Zwillingserlen heben,
Winkt ein moos'ger Stein hinab zum Bach:
Golos Grab; an trüben Tagen,
Wenn im Herbst die Zweige beben,
Hallt von Annens zarten Klagen
Dort ein Laut, ihn lispelt Rohr und Geister nach.

## Soldaten-Abschied.

Heute scheid' ich, heute wandr' ich,
Keine Seele weint um mich.
Sind's nicht diese, sind's doch Andre,
Die da trauern, wenn ich wandre:
Holder Schatz, ich denk' an dich.

Auf dem Bachstrom hängen Weiden;
In den Thälern liegt der Schnee;
Trautes Kind, daß ich muß scheiden,
Muß nun unsre Heimath meiden,
Tief im Herzen thut mir's weh.

Hundert tausend Kugeln pfeifen
Ueber meinem Haupte hin!
Wo ich fall', scharrt man mich nieder.
Ohne Klang und ohne Lieder,
Niemand fraget, wer ich bin.

Du allein wirst um mich weinen,
Siehst du meinen Todesschein.
Trautes Kind, sollt' er erscheinen,
Thu' im Stillen um mich weinen
Und gedenk' auch immer mein.

Heb' zum Himmel unsern Kleinen,
Schluchz': nun todt der Vater dein!
Lehr' ihn bethen! Gib ihm Segen!
Reich' ihm seines Vaters Degen!
Mag die Welt sein Vater seyn.

Hörst? Die Trommel ruft zu scheiden:
Drück' ich dir die weiße Hand!
Still' die Thränen! Laß mich scheiden!
Muß nun für die Ehre streiten,
Streiten für das Vaterland.

Sollt' ich unter freyem Himmel
Schlafen in der Feldschlacht ein:
Soll aus meinem Grabe blühen,
Soll auf meinem Grabe glühen
Blümchen süß: Vergiß nicht mein.

# d ch t e.

## Zweytes Buch.

## Gesang auf die Geburt des Bacchus.

Mich senget dürrer Durst! Füll', Knabe,
Den goldnen Becher hier.
Ha! Lieblich theilst du, Evan, deine Gabe;
Wie bist du Freudenvater mir!

Füll' wieder! Wonnequell! Geschenke
Der Götter! Süßer Wein!
Ein jeder Tropfen, seliges Getränke,
Von dir, schließt einen Himmel ein.

Wo irr ich? Evan! An Corycens Grotte?
Umtanzen die Bacchiden mich?
Begeistert, heilig, täuml' ich voll vom Gotte;
Die schöne Sonne hüpft um mich!

Hüpft fröhlich auf, es fliehen meine Sinnen,
Und meine Seele schwimmt in Glanz:
Mein sträubend Haar durchsaust die Gluth der Bacchantinnen;
Ich seh', ich seh' dich Vater ganz!

Wie du, ein Kind, im lichten Mayentraume
Einst unter goldnem Nymphenchor
Gebunden lagst von Reben an dem Baume,
Und schnell die Traube wuchs hervor:

Und Nysa ließ in goldne Schalen träufeln
Der freudenschwangern Beere Saft;
Voll Lust auf dich nun staunt und länger nicht will zweifeln,
Du seyst ein Gott an Kraft.

Geheiligt durch den Wein, der Aug' und Lippen
Bald angeflammt, sieht sie nun den Silen,
Zehntausend Thyrsusträger, hoch auf Wolkenklippen
Die Götter um dich stehn.

Prophetisch dann, mit hingestorbnen Blicken
Und seelenvollem Haar,
Heult sie herab voll dithyrambischen Entzücken:
O heilig! heilig! Bromius gebahr.

O Evan! Stolzer Evan, Jacche!
Aus Zeus Umarmung, eingehüllt
Vom rothen Blitz, an Dyrcens Quell dich Bacche,
Des mächt'gen Vaters Ebenbild.

Der goldnen Schlangen Tochter Semele! Die Götter
Stolzirten vom Olymp den Tag,

Neunmahl umleuchtet Zeus in einem Donnerwetter
    Den Erdball, der in trunknem Schlummer lag.

Dem Hymnus neigt die Erde ihre Ohren,
    Den Sonne, Mond und Himmel singt,
Vom stolzen Knaben, der kaum neugebohren,
    Schon unter Rebenlauben springt.

Froh hören's die Gestirne, die da glänzen
    Im blauen Aether-Meer; da dreht
In mystisch heilig labyrinth'schen Tänzen
    Sich jeder taumelnde Planet.

Da taumeln Wälder, finstre Grotten hüpfen;
    Heil dir! Heut küsset dich die Lust,
O Welt! zum erstenmahl; verjünget mußt du hüpfen,
    Der Freudenschöpfer ruht an deiner Brust.

Und heilige Gebirge jauchzen, springen
    Dem Hymnus: Heil dir, Tag
Des Taumels! Und hundertzüngig singen
    Heil dir! die Thäler nach.

## Amor und Bacchus.

Aus der Nacht der Myrthenwälder
Führt durch offne Liljenfelder
Amor seine Mädchenschaar.
Fröhlich schwankt der Gott der Traube,
Aus der kühlen Epheulaube
Her mit der berauschten Schaar.

Amor und der Gott der Freude
Sehn einander, kommen Beyde
Aus dem Schwarm hervorgerannt.
Amor schwingt den goldnen Köcher,
Bacchus den bekränzten Becher,
Beyde schlagen Hand in Hand.

Bacchus.

Dich, o holdgeschmückter Knabe,
Schöner Amor, küss' ich, labe
Dich mit diesem Becher Wein.
Ha, wie deine Lippen fließen
Voll Entzückung, von dem süßen
Honigsüßen Cyperwein!

Amor.

Bacchus mit dem Thyrsusstabe,
Hochgekrönter Götterknabe,
Heute wollen wir uns freun!
Laß mich dich, mein Bacchus küssen,
Laß die Wollust in dich fließen,
Süßer, wie dein Cyperwein!

Bacchus.

Knabe, mit den goldnen Pfeilen,
Willst mein stolzes Herz zertheilen?
Ha, es schwillt in süßer Pein!
Amor, Amor! Deine Küsse,
Knabe Amor, brennen süße,
Süßer, wie mein Cyperwein!

Amor, schwing' heut meinen Becher!

Amor.

Bacchus, trag' heut meinen Köcher!

Bacchus.

Bruder, hier um deine Brust
Wirf dieß Fell voll bunter Flocken!

Amor.

Bind' die Ros' in deine Locken!

Beyde.

Wechseln laß uns heut in Lust!

Bacchus.

Ha, du blinkst durch Traubenblätter
Herrlich, Amor! Nein, die Götter
Sahn Lyäen nie so schön!

Amor.

Herrlich glühst du durch die Myrthen,
Neuer Amor! Nein, die Hirten
Sahn Cupido nie so schön!

Bacchus.

Jauchzt, ihr taumelnden Mänaden,
Schlagt die Trommel, ihr Thyaden,
Weiht den süßen Amor ein!
Stampft, ihr Faunen, Ringeltänze,
Windet um ihn Epheukränze,
Amor soll heut Bacchus seyn!

Amor.

Singt, ihr goldgelockten Schönen,
Laßt die Liebesharf' ertönen,
Weiht den wackern Bacchus ein!
Tanzt, ihr Nymphen, Schmeicheltänze,
Windet um ihn Myrthenkränze,
Bacchus soll heut Amor seyn!

# Dithyrambe.

Ha, schon schwindeln meine Sinne,
Ha, es fliehen meine Sinne!
Reicht den mächtigen Pokal,
Freunde, reicht ihn noch einmahl!
Wie von meinen blöden Sinnen
Alle Nacht und Nebel fällt!
Ha, nun steh' ich aufgehellt!
Götter, was soll ich beginnen,
Tret' ich ein in fremde Welt?
Welche Tön' in meinen Ohren?
Trommel, Pfeif' und Cymbelnschall!
Neu gebohren, neu gebohren!
Mir entsinkt der Erdenball!

Bacche, Barche, Barche, Bacche!
Vater Evan, Vater Jache,
Freudenmehrer, faßt' ich dich?
Freudenmehrer, zwingst du mich?
Schlag' den Jubelthyrsus nieder,
Daß der rauhe Fels ertönt,
Jauchze volle Taumellieder,
Daß der Kithäreon dröhnt.

Jacche, Jacche, Jarche, Jacche!
Vater Evan, Vater Bacche!
Helfer, reich' den starken Arm!
Ueber mir Centauernschwarm!
Pferdbeschwänzte Mädchen springen,
Drängen fester mich in Schluß!
Sieh die Satyrn mich umringen
Mit behaartem Ziegenfuß!

Donnernd hallt der Zug herunter,
Stürmt herunter, braus't hinunter!
Welch ein Strudel reißt mich hin,
Mitten fort zum Wagen hin?
Näher seh' ich dich Lyäen,
Seh' dich stolzen Liber kühn
Auf dem goldnen Wagen stehen:
Wie die Flammenlocken wehen,
Wie vor ihm die Pardel knien!

Frey und flüchtig, rasch und munter,
Welch ein göttlich hohes Wunder!
Ha, die Schlange windet sich,
Schöner Evan, hell um dich!
Gold und Silber schuppig blinkend,
Hängt sie dir am Busen mild,
Mit gespaltner Zunge trinkend
Thau, der deiner Lock' entquillt.

Wie so flüchtig, wie so munter!
Welch ein göttlich hohes Wunder!
Milchhaar schwebt um Wang' und Kinn!
Nymphen, laßt mich zu ihm hin!
Näher, schöner Thyrsusschwinger,
Näher, näher zu dir hin!
Thyrsusschwinger, Wagenspringer,
Den gefleckte Tieger ziehn!

Neuer Zug stürmt schon herunter,
Dort herunter, da hinunter!
Welcher Strudel reißt mich hin,
Fort zu Libers Wagen hin?
Ha, er winkt mir, winkt mir, winket!
Wie sein Purpurantlitz blinket,
Wie ihm Aug' und Wangen glühn!
Darf ich, schöner Gott der Reben,
Froher Bacchus, darf ich kühn
Heut den grünen Thyrsus heben,
Mit an deinem Wagen ziehn?

Heilig brünstige Gesänge,
Die ihm jede Nymphe zollt,
Rauschen her durch Epheugänge,
Götter, wie sein Wagen rollt,
Wie ihm Löw' und Pardel brüllen!
Wie sein stolzer Wagen rollt!
Aus des Rades Naben quillen
Taumelströme, Wein und Gold.

O ihr Brüder, o ihr Brüder!
Selig, selig, selig, Brüder!
Evan steigt zu mir hernieder,
Lehnet sich an mich vertraut!
Selig, selig, selig, Brüder!
Seht, es rauscht um meine Glieder
Tief herab die Pantherhaut.

Kröne meine Schläfe! Kröne
Meine Stirne, neugeschmückt!
Tanzet vor mir Silbertöne!
Götter, Götter, wie entzückt!
Flieh' ich auf des Meeres Wogen?
Tret' ich den gehörnten Rhein?
Meine Seele ist entflogen,
Wuth durchschauert mein Gebein!

Jarche, Jacche, Jacche, Jacche!
Vater Evan, Vater Bacche!
Jacche, Jacche! Gnade, Gnade!
Reiß' mich von dem Flammenrade,
Reiß'! Schon taumelt aufeinander
Erd' und Himmel und Gestirn!
Auf mir steht ergrimmt der Panther
Und zernaget mein Gehirn.

Ach du kommst, du kommst und rettest
Vater Evan, rettest, rettest,

Kühlst in süßer Wonnefluth
Meiner heißen Locken Gluth.
Wehe, Vater Evan, wehe!
Ich versinke! Ich vergehe!
Ha, schon zieht mich Morpheus hin.
Welche Wollust! Kühle Lüfte
Hauchen süße Blumendüfte,
Silbern säuseln sie im Fliehn.

## An die Taube der Venus.

---

Die du am zarten Busen
Der Liebesgöttin schläfst,
Hör', lilienweißes Täubchen,
Hör' meinen Seufzer an!

Entfalt' das Silberflüglein
Und schwinge dich herab;
Nimm, nimm in deinem Schnäblein
Zwey helle Blümchen mit.

Eins sey ein Purpurröslein,
Das von dem goldnen Haupt
Der lächelnden Cythere
Auf deine Schwinglein fiel.

Das andre sey ein Veilchen,
Das mit der kleinen Hand
An ihren trunknen Busen
Cupido angedrückt.

Die trage dann noch duftend
Voll Lieb' und Zärtlichkeit
Mit allen meinen Thränen
Zur jungen Chloe hin.

## Lied.

Amors, wie die Dichter sagen,
Dichter, jung- und alter Zeit,
Amors güldnen Wagen tragen
Götterchen voll Freundlichkeit.
Trauer und Gewimmer wallen
Hinten nach, mit alter Treu;
Aber vornen, beym Gefallen,
Gaukelt lose Neckerey.

Oefters sahen wir den Losen,
Wenn er an dem Teiche sang;
Oefters, wie er unter Rosen
Ueber bunte Blumen sprang.

Dorilis, aus dichten Sträuchen
Schlich der Lose dann herbey,
Warf nach uns mit Lilienzweigen;
Amor liebet Neckerey.

Könnt' ich doch so schalkhaft blicken
Wie du, schöne Dorilis:
Spräch' mein Busen solch Entzücken,
Liebes Mädchen, glaub' gewiß,
Amorn wollt' ich selbst besiegen,
Ihn, der Alles überwind't,
Bald ihn necken, bald ihn wiegen —
Amor bleibet stets ein Kind.

Käm' er trotzig angeflogen,
Wollt' mit vollem Köcher drohn,
Lachen wollt' ich, seinem Bogen,
Seinen Pfeilchen spräch' ich Hohn.
Würd' er zornig niederblicken,
Ey dann tänzelt' ich herbey,
Bänd' ihn fest mit Blumenstricken;
Amor liebet Neckerey.

Unter Rosen, unter Trauben,
Ueber Wies' und Weide hin,
Bey den Schafen, in den Lauben,
Neckt' ich loses Mädchen ihn.

Seufzt er dann und wollte klagen,
Ha! ich lachte nur der Pein.
Loses Mädchen, müßt' er sagen,
Loses Mädchen, du bist fein!

Oft würf' ich an dunkeln Höhlen
Mich vertraulich zu ihm hin,
Ließ ihn lange Gluth erzählen;
Aber würd' der Schelm mir kühn,
Strenge stieß' ich ihn zurücke,
Hieß ihn gehn, und ging' er ja,
Zärtlich flehten meine Blicke:
Lieber Amor, bleib' doch da!

Nur mein Winken, nur mein Lachen
Reicht' ihm Leben, Lust und Pein,
Könnt' ihm Glück und Unglück machen,
Stünd' ich in der Schäfer Reihn.
Ha verschwür' er's, mich zu lieben,
Eifersucht, ich spaßte noch;
Kleiner, rief ich, du nicht lieben?
Kleiner, geh! Du liebst mich doch.

Nur im Lachen, unterm Spiele,
Mitten unter Tanz und Scherz,
Wies' ich ihm oft, was ich fühle,
Zeigte sich mein zärtlich Herz.

Oft verrieth ihm da mein Lallen,
Oft ein Händedruck sein Glück;
Bald ein sanftes Busenwallen,
Bald ein nasser Seitenblick.

Sich an meinen Busen schmiegend,
Hemmt' er meinen kurzen Lauf,
Mich in seinen Armen wiegend
Küßt' er meine Thränen auf.
Liebeschmachtend, unter Zagen
Klagt' er, o ein Seufzerlein;
Ueberwunden müßt' er sagen:
Schönes Mädchen, ich bin dein!

## Amor und seine Taube.

---

Mit Amorn fliegt
Ein Täubchen dort
Vom weichen Schoos Cytherens.
Allein ist sie
Des Knaben Lust
Und traulichste Gespielin.
Noch sitzen sie
Am Rosenstrauch
Und schwätzen mit einander.

## Taube.

Sag', liebest du
Dein Täubchen noch,
Mein goldig krauser Amor?
Und wenn es einst
Erblassen muß,
Wirst du's auch nicht vergessen,
Dein Täubchen? Mich,
Die ich so treu
So zärtlich treu dich liebe.
Dieß schneidet mir,
Denk' ich daran,
In's Herzchen tiefe Wunden.

## Amor.

Schweig', Schwätzerin!
Wie könnt' ich doch,
Du Liebe, dein vergessen!
Der Zärtlichsten,
Der Freundlichsten
Von allen meinen Tauben!
Komm, hüpfe schön
Auf meine Brust,
Komm, wölb' die seidnen Flügel
Und schnäble mich!
Zehn Küßchen! Ich
Geb' treu sie dir zurücke.

## Taube.

Geh, küsse nicht,
Du liebst mich nicht,
Du Kleiner hast gelogen!
Ich liebe dich,
Ich, Amor, ich
Bin dir nur treu gewogen.
Ach gerne trag'
Ich deinen Pfeil
Und deinen Silberbogen!
Doch einst wirst du
Vergessen mich,
Vergessen mich im Grabe.
O Kleiner, geh,
Kein Küßchen mehr!
Laß, laß mich lieber weinen.

## Amor.

Ha Lose du,
Versteckest du
Den Schnabel in den Flügel?
Gleich küsse mich,
Ich schlage dich,
Ich binde dir die Flügel.
Willt Amorn nur
Betrüben du,
Als liebt' er dich nicht immer?

Kennst gar zu wohl
Mein treues Herz,
Du lose kleine Taube!

## Taube.

O schlage nicht
Mich Jammernde,
Mein goldig krauser Amor!
Ey liebes Kind!
Mich peinigt's so
Im Wachen und im Schlummer.
Kein Blümchen sinkt,
Ich denk' daran,
Kein Tröpflein von der Lilje.
So sink' ich einst,
So fall' ich einst,
So lieg' ich einst vergessen.
Du schwingst dich hin
In alle Welt
Bis zu dem Göttersaale,
Fliegst fern und fern
Von Stern zu Stern,
Und ich lieg' tief im Thale.
Denkst nimmermehr
An mich, indeß
Mein armes Herzchen modert,
Dieß Herzchen treu,
Das dich nur faßt,

Dieß Herzchen, lieber Amor,
Vergessen ach!
Von dir ach! ach!
Du allerschönster Knabe.

### Amor.

Halt, Liebchen, ein,
Halt, Schätzchen, ein
Mit diesen Trauer-Klagen!
Halt, Täubchen, ein,
Mein Herz zerschmilzt,
Ich kann's ja nicht ertragen.
Glaub's, nimmermehr
Und nimmermehr
Kann deiner ich vergessen,
Nicht Sonn' und Mond,
Nicht Jahr und Tag
Soll mir dein Bild verlöschen!
Und solltest du
Ach! solltest du
Erblassen einst, du Liebe!
Dann weint' ich laut,
Dann schluchzt' ich bang,
Dann wollt ich nicht mehr leben!
Im Myrthenhayn,
Wo Venus schläft,
Bey roth- und weißen Rosen
Begraben dich

Gar sanfteglich,
Ein Grabmahl dir erbauen,
Und Morgens dann
Und Abends dann
Bey deiner Urne weinen,
Und Veilchen süß
Und Liljen zart
Auf deinen Leichnam streuen
Zur Ehre dir,
Der Zärtlichsten
Und Treusten aller Tauben.

### Taube.

Du liebes Kind!
O liebster Schatz,
Den ich einst muß verlassen!
Ach! könnt' ich doch
Im Grabe noch
Dein holdes Antlitz schauen!
Ein' Andre trägt
Die Pfeile einst,
Mit Andern wirst du spielen.
Dieß Mündlein süß,
Die Wange zart,
Wird eine Andre küssen,
Wird sitzen hier
Auf deiner Brust,
Wo ich so gerne schlummre;

Schlägt freundlich dir
Die Flügel auf,
Scherzt auch mit deiner Locke,
Fliegt neben dir,
Wie ich gethan,
Küßt streichelnd dich — ach wehe!
Verzweifeln muß,
Ach denk' ich dran,
Ja, ja, ich muß verzweifeln.

## Amor.

Auf dieser Welt
Kein Täubchen mehr,
Bist du für mich verlohren!
Auf dieser Welt
Kein Schätzchen mehr,
Das schwör' ich bey den Sternen!
Solch' Treue gibt's
Auf Erden nicht,
Im Himmel nicht, als deine.
Solch Herzchen gibt's
Auf Erden nicht,
Im Himmel nicht, als deines.
Schön fass' ich's auf
In rothes Gold,
In köstlich Gold und Perlen,
Und trag' es stets
Auf dieser Brust,

Wo du so gerne schlummerst,
Damit ich, wo
Ich schweb' und bin,
Mög' alle Zeit gedenken
An dich, an dich,
Die Zärtlichste
Und Treuste aller Tauben!

So schwuren sie,
Und Amor drückt
Sein Täubchen sanft und streichelt's.
Da girret's froh,
Da sinket ihm
Das Thränlein aus dem Auge.
Entzücket hüpft's
Auf Amors Brust
Und flügelt um den Knaben.
Noch steigen sie
In blauer Luft,
Es sieht sie Venus fliegen.
Erweicht wird sie,
Süß nicket sie
Unsterblichkeit dem Täubchen.

## Amors Schlafstunde.

---

### Titania, Königin der Feen.

All' meine Dienerinnen, Elfen,
Die ihr auf schwanken Tulpenstengeln reitet,
Um Quellen kreiset, Waldmayblümchen schüttelt,
Im schwarzen Thau von Primeln euch bespiegelt,
Wenn ihr den goldnen Staub aus euern Locken kämmt,
Herbey, ehrt meinen Ruf! Verlaßt
Der Jagd Gelärm und Pfif, indem
Ihr frech die schwarzbraun' Ameis' sattelt,
Durch Stumpf und Stiel den leichten Wurm verscheucht —
All', all' herbey zu mir!

(Feen und Elfen aus Aesten, Sträuchen, Kräutern, Steinen, Eicheln, Blumen, Muscheln.)

### Alle.

Wer ruft? Wir alle sind hier!
Titania, was befiehlst du mir?

### Titania.

Die Zeit ist da, geliebte Dienerinnen,
Daß wir zur Ruh nun meinen Amor bringen,

Denn mein ist er, seitdem die schönste Mutter,
Cythere selbst, in jener dunkeln Grotte,
Ihn meiner treuen Obsicht anbefahl,
Eh' daß sie noch zum Sternumgürt'ten Himmel
Drey volle Monat' ihren Sitz erhoben,
Und diesen Hayn, gewöhnt des heil'gen Athems,
Und diese Flur, der heil'gen Tritte stolzer,
In trauervoller Wehmuth hinterließ.

Nun höret!
Der Kleine, denkt nur, hat sich vorgenommen,
Mit Einem, ist er Satyr oder Faun,
Das weiß ich nicht, genug aus Bacchus
Oder seines Oheims Gefolg' Einem,
Bey Lunens düsterm Fackel-Schimmer
Kühn auf die Eulenjagd hinaus zu ziehn
Und also lauernd hinter schwarzen Büschen,
Durch haut'ge Flügel junger Fledermäuse
Den rückgezognen Pfeil zu schnellen.
Nun lauscht er noch an jenem dunkeln Fels,
Um den die Rosenstauden voller wanken,
Der, süß bemoost und süßer noch beblümt,
Der schönsten Nymphe Hyacinthe
Fliehende Füße band
Und sie, bezaubert nun vom süßen Schlummer,
Auf seinen weichen Rücken zwang,
Daß sie der große Donnerer,
Nicht brüllend als ein schwarzer Stier,

Nicht als ein goldgekrollter Widder blöckend,
Noch als ein brünst'ger Schwan, der seine Flügel
spreitet,
Nein, Jugendlockig kraftvoll hier umschloß,
Zur Heldenmutter dreymahl sie gesegnet.
Seitdem ist Amor diesem Fels gewogen,
Nennt heilig ihn und segnet seinen Schatten,
Und wenn er sich versteckt, versteckt er sich dahinter.

Alle Feen.

Wir wollen ihn aufsuchen und dir bringen.

Titania.

Thut das, ihr meine Dienerinnen,
Aber, bitt' ich, nehmet euch wohl in Acht,
Daß euch der Lose nicht noch einmahl äffet!
Wißt ihr es noch? Jüngst als der März
Sich mit dem Frost herumgebalgt,
Doch Schneegestöber, Reif und Hagel ihm
Wild auf den wunden Nacken fielen,
Daß er zu Boden sank,
Und traurig alle Wälder wieder starrten,
Und jedes frohe Thier sich wiederum verkroch,
Einsam wir Paar und Paar in Eicheln saßen,
Der Wolf allein auf rauhen Klippen sprang,
Mit schwerem Schweif im bleichen Sonnenstrahle
Den Schnee herab von seinem Halse schlug:
Ging euch der lose Vogel hin — zwar muß ich

Jetzt lachen nur, so sehr mich's vor verdroß —
Leert' auf die Aue seinen ganzen Köcher,
Und stecket euch wie Frühlingsblumen, listig,
Die bunten Pfeile weiß und roth und blau
Und grün und gelb umher und pfeift,
Den Frühlingsvögeln ähnlich, so
Daß man geschworen hätt', der schmucke
April sey vor der Thür! Und Mädchen
Mit Kübeln tränkten schon das Vieh am Brunnen
Und ließen nun die frohen Heerden wieder aus.
Da sprangen wir hervor, ersahen
Die Blumen, tanzten drein herum,
Bis daß sich meiner Feen drey verwundet,
Und er gleich einem Kuckuck schelmisch
Von dichter Eichengabel uns verlacht.
Seit dem mag ich dem Knaben nicht mehr trauen.
Doch seht, betrügt mich nicht mein Blick,
Seh' ich ihn dort um den Hollunder gaukeln.
Still, still! Er kommt, halb an dem Boden krie-
chend,
Der Schwalbe ähnlich, die mit beyden Flügeln,
Bald in der Luft, bald an dem Boden hängt,
Daß tief von seinem Flügelpaar gebogen,
Die Blumen ihren Thau ihm übern Rücken sprützen.
Umringt ihn, Feen, fangt ihn mir.

Alle.

Gebt Acht, Schwestern, gebt Acht,

Daß wir den Amor erwischen.
Juhe, du Kleiner! Gefangen du bist,
Hilft weder Sträuben, hilft weder List!
Gib dich gefangen!
Wir binden dir die Hände,
Die Füße, wahrhaftig
Wir wollen dich an die Flügel aufhangen.

(Sie tragen ihn, geben ihn der Titania.)

Titania.

Amor, du Lieber, komm, komm,
Sey artig, sey fromm,
Wir machen dem Knäbchen sein Bettchen gar schön,
Hoch Zeit ist's nun zum Schlafengehn.
Die Grillen zirpen nicht mehr,
Wir alle sitzen nun um dich her,
Singen und weben, blau und grau,
Den Hochzeitgürtel der artigsten Frau.

Ha! Schweiget doch, er schlummert bald!
Wi, wi, wi, wisch!
Ey Kind, wie wirst du so fröhlich seyn,
Erwachest du morgen im blühenden Hayn!

Waldlerchen dir singen,
Die Fische dir springen,
Es bebet und webet im thauigen Gras,
Dann springt auch mein Lämmchen, wie fröhlich ist das!

Hey eyo popeyo,
Du, du, du,
Ey schlaf' und schließ' dein Aeuglein zu.

Nun sachte, höret mich, ihr Drey,
Du Nesselspitz und du Vergiß mein nicht
Und Lilienblatt, nehmt hier den Knaben,
Wiegt ihn zur Ruhe, singet ihm
Das Schlummerlied, das ich euch jüngst gelehrt.
Halb hat der schwere Schlummer schon
Sein müdes Aug' verschlossen;
Singt doch, damit er's bald ihm ganz versiegeln
können.
Indessen wollen wir zu unsern Tänzen eilen,
Denn Zeit ist's nun, der Glocke dumpfer Mund
Hat zwölfmahl schon vom Thurm herabgerufen.
Um Eins kommt schon mein strenger Herr zurück
Aus seinem Forst, ruht an den Klippen dann,
Siehet im Mondschein unsern Quellentänzen zu,
Und wo er mich nicht augenblicklich fände,
Voll Eifersucht durchstrich' er bald die Wälder,
Braust' Eichen um, zerriss' die Tannen
Und Eschen, zersaust' die Saatenflur und Weinstock,
Daß wir vor Angst noch einmahl allesammt
In Indus kleinste Perlenmuschel kröchen.
Ihr aber, Elfen, tragt hier Amors Waffen
Hinweg und hänget sie in jene stille Grotte,
Damit er unversehrt sie morgen wieder finde.

Aber nehmt euch wohl in Acht,
Amors Pfeile wunden gar zu leicht,
Wenn eine glitscht,
Fällt und trift
Lauter Gift,
Todespein
Wird's euch seyn,
Mark und Bein durchbrennen.
O dann wird kein Balsamsaft,
Keine Kunst und Segenskraft,
Eure Schmerzen trennen.

(Titania und Gefolge gehen ab

### Liljenblatt, Nesselspitz, Vergiß mein nicht.

### Nesselspitz.

Wie schnippisch doch die Königin nicht ist,
Als hätte sie dieß Lied erfunden, uns gelehrt!
Schon wußt' ich's lang, eh' ich vom Schoose meiner Mutter
Noch fallen konnte.

### Vergiß mein nicht.

Wenn man Alles von ihr wollt' erzählen,
O schönes Dings zu sagen hätt' man da!
Komm, lasset uns was Andres singen.

Liljenblatt.

O macht doch einmahl fort,
Ihr Plaudermäuler! Seht, der Bube
Hat wieder hell die Augen auf!
Sagt doch, wann wir zum Tanzen kommen?
Wenn ihr nicht singt, sing' wahrlich ich allein.

Alle zwey.

Sieh doch die Närrin!
Wir singen beyd' so gut als du.
Ha! Wenn ich nur des Buben Augen hätt',
Die schönsten Nymphen müßten mir dann weichen.

Alle drey.

Schließ', Amor, liebstes Kind,
O schließe doch geschwind
Dein blaues Aeugelein!
Der Schlummer wartet dein,
Mit ihm ein goldnes Träumchen.
Am nahen Myrthenbäumchen
Ruhn sie auf einem Blatt:
Bald flattern sie hinzu
Mit gähnendem Gefieder
Auf deine Augenlieder,
Zu krönen deine Ruh.

Ey schließ dein Aeugelein,
Ey, Liebchen, schlaf' doch ein!

In einer Rose steht
Dein liebes kleines Bett,
Dich deckt ein Nelkenblättlein!
Von süßer Primeln Hauch
Bist du rund übergossen,
Von Veilchenduft umflossen
Und Thau vom Balsamstrauch.

Drey Westchen schlagen fein
Um dein Schlafkämmerlein,
Um diese zarte Rose,
Die bunten Flügelein,
Und wiegen sanft die Rose,
Und wiegen sanft dich ein.
Auch flechten Blumenketten
Zehn holde Amoretten
Und tanzen auf dem Schein
Des süßen Sterns der Liebe,
Der hell am Himmel lacht,
Rund um dich her in Reihn.
Sie lassen sich schon nieder
Und spreiten ihr Gefieder
Auf zarte Blümelein,
Und rufen: gute Nacht!
Und schlummern nickend ein.

Nur du wachst noch allein!
Ey schließ dein Aeuglein zu,

Die Welt liegt schon in Ruh,
Es schlummert Thal und Hayn,
Es schlummern von Beschwerden,
Die Hüther und die Heerden.
Die Nachtigall allein,
Die Kläg'rin banger Triebe,
Die gurgelt ihre Liebe;
O gib der Armen Ruh,
O schließ' dein Aeuglein zu,
So stillt sich ihre Pein.

Hüpft, Elfen, munter im Hayn
Um Quellen im Mondenschein,
Ju, ju!
Der Liebesgott drückt sanft sein Aeuglein zu.

## Die zwey Amorinen.

---

Erster.

Sieh, dort auf des Pardels Rücken schnäbeln sich zwey Täubchen fein.

Zweyter.

Bacchus schlummert bey der Mutter ganz gewiß im Rosenhayn.

## Die Trinkschaale.

Trink' aus dieser goldnen Schaale,
Freund! Der Gott der Lust
Formte sie beym Göttermahle
Nach Cytherens Brust.

## Aufschrift auf Amors Köcher.

Mit furchtbar'n Zügen
Des Schicksals leuchtet
Auf Amors gewaltigem
Köcher die Schrift:
Ich trage die süßesten
Pfeile der Wonne,
Ich fasse die bittersten
Pfeile der Schmerzen;
Olympus, Erebus
Ruhen in mir.

# An Nemesis.

Was ist's, das mitten
Im Freudenfluge scharf und bitter,
Des Winters strengem Odem gleich, das Herz
Belastet und im trunkensten Genusse
Den Flügel lähmt? Ist's vom Orcus
Der Hohn? Ha, oder ist's der Klang
Von deinem furchtbar'n Maß, o Nemesis,
Vor blinden, überüppigen Begierden warnend?
Denn ausgelassner Muth ist fürchterlich!

Wir flehen, flehen,
O Nemesis, zu dir!
Erhell' die düstre Wolke, die zu schwer
Das Aug' des Sterblichen umhüllet.
O zeig' uns klar die sichre Bahn,
Erhabne Göttin, die du mächtig
Auf Athos Gipfel standest einst,
Und furchtbar deinen Stab bey Morathona
Und Salam's erhubest: brich, –
O brich die schwere Kett' entzwey, zerschlage
Der Unterdrücker Vorsatz und Gewalt!

# Gedichte.

## Drittes Buch.

## Gemälde aus dem Sommer.

Der Sommer bezäumet
Beym Sirius itzt
Den Löwen, der bäumet
Sich wild und erhitzt.
Den Frühling verscheuchet
Sein sengender Blick;
Da sinket erbleichet
Jacynthe zuruck.

Nach schwebet die Sonne
In fröhlicher Wonne
Verliebet die Bahn;
Mit froher Gebehrde,
Treibt sie die Pferde
Den Flammenweg an.
Die schnaufen und traben,
Gepeitscht, daß es blitzt;
Sie haschet den Knaben

Am Sommerkranz itzt.
Mit froher Gebehrde
Drückt sie ihm die Hand
Und küßt ihn, die Erde
Hängt schmelzend im Brand.

Ihm glitscht durch die Lüfte
Die Feuerschaal' hin;
Die flammenden Düfte
Versengen das Grün.
Die Kraniche fliegen
Zur Felsenkluft schnell;
Die Rehe erliegen
Am sprudelnden Quell.

Durch Blumengemächer
Hüpft Amor in Eil';
Schon schmilzet im Köcher
Sein güldener Pfeil.
Ihm brennen die Flügel;
Er schreyet und flieht.
Wie glühen die Hügel,
Wohin er nur flieht!

Ganz wär' nun der süße
Cupido verbrannt,
Hätt' ihn nicht Belise
Den Flammen entwandt.

Sie reisset geschwinde
Die rauchende Binde
Vom Schreyenden los;
Wiegt Amorn gelinde
Im freundlichen Schoos,
Gar artig ihm fächelnd
Die brennende Pein.
Da schlummert er lächelnd
Am Busen ihr ein.

Das Klappern der Mühle,
Die sumsende Bien',
Sie locken in's Kühle
Den Schlummergott hin.
Mit Mohnlaub geschmücket,
Umfaßt er den Held,
Den Mittag, der nicket
Im wolkigen Zelt.
Nun wallen die Träume
Hernieder auf Bäume,
Und Mittag erwacht;
Senkt Felsen und Bäume
Und Thäler in Nacht.

Vom Helm herab fließen
Braun' Locken ihm schwer;
Ihn tragen, wie Riesen,
Die Wolken daher.

Schon Winde erwachen,
Schon Donner krachen:
Er bäumet den Speer.
Sie schließen die Rachen,
Und fahren daher
Geschwinder als Drachen:
Da sieht er mit Lachen
Herab in das Meer.

Dort rollet in hellen
Krystallenen Wellen
Des Oceans Sohn,
Geschuppter Triton;
Zieht hinter sich Wogen
In schlängelnde Bogen,
Und flattert davon.
Aus Muschelposaunen
Stürzt freudiger Ton.
Delphinen erstaunen,
Umschweben den Froh'n.

Nun ruft er den Hüthern
An Titans Thor,
Den blaulichten Brüdern!
Sie steigen hervor
Mit riesigten Gliedern,
Sie schwingen den Ast
Voll rother Corallen.

Posaunen erschallen
Im Muschelpallast.

Sie kämmen und jagen
Die Rosse durch's Meer;
Bespannen die Wagen,
Stolziren daher.
Schon Wogen schlagen
Die prächtige Last.
Die Fluthen erhallen,
Posaunen erschallen,
Im Muschelpallast.

Bis Galathee fröhlich
Den Tiefen entschlüpft,
Da jauchzen sie selig,
Vou Wellen umhüpft.
Sie spielet und hüpfet,
Auf glitzernder Gluth,
Wohin sie nur schlüpfet,
Da lächelt die Fluth.
Da heulen zur Sonne
Tritonen voll Wonne
Und peitschen die Fluth
Und schlagen voll Muth
Im Schimmer der Sonne
Und heulen: wie gut!

Auch Galathee schwinget
Die Syster, besinget
Den Sommer; das Lied
Tönt hell in die Chöre,
Der Sonne zur Ehre,
Die freudiger glüht.

Der Säng'rin zum Lohne,
Flicht Glaukus die Krone
Von Lotos und Ried.
Stolz tönen die Chöre
Dem Mädchen zur Ehre
Ein zärtliches Lied.
Deß lächelt sie, nicket,
Entblößet und schmücket
Ihr lockiges Haar:
Da klatschet die Schaar,
Da flattert ihr Haar
Am Rücken, geringet,
Wie schlangigte Gluth,
Hernieder; ihm springet
Entgegen die Fluth.

Den Wellenhimmel
Umgürtet nun Glanz;
Junger Mädchen Getümmel
Bringt Musik und Tanz.
Die Saiten ertönen,

Es singen die Schönen;
Die Saiten ertönen,
Sie laden den schönen
Cupido zu Gast.
Die Fluthen erhallen,
Posaunen erschallen
Im Muschelpallast.

Cupido erwachet,
Am thauenden Quell,
Guckt bübisch und lachet;
Da wachsen ihm schnell
Die goldigen Schwingen,
Die Pfeilchen erklingen,
Die Sehnen ertingen,
Am Bogen ihm hell.
Ihn grüßen die Brüder
Mit fröhlichen Liedern,
Er flattert umher;
Ihm jauchzen die Brüder,
Da läßt er sich nieder
Auf's tanzende Meer.

Und schnell wird sein Bogen
Von Blumen umflogen,
Zum artigen Mast;
Sein Köcher geschwinde
Zum Schiffchen; die Binde

Zum Segel am Mast.
Er segelt: es grüßen
Die Mädchen ihn, küssen
Den artigen Gast.
Die Fluthen erhallen,
Posaunen erschallen
Im Muschelpallast.

Ey, Amor, im Spielen
Vergiß nicht zu zielen
Nach Herzchen so froh!
Husch! schwinget er Pfeile
In flammender Eile,
Und lächelt so, so!
Da fliehen die Schönen
Wie Rehe im Wald,
Wenn Hörner ertönen,
Die Bergkluft erschallt.

Da stürmen und brausen
Die Männer durch's Meer;
Sie schlagen und krausen
Die Fluthen, die sausen
Gott Amorn zur Ehr',
Sie fallen und wallen
Und toben umher.
Schon blinken Corallen,
Die Hörner erschallen

Gott Amor zur Ehr'!
Sie heulen vor Wonne,
In Silber und Glanz;
Umzingeln die Sonne
Im schwebenden Tanz.

## Der schöne Tag.

---

O Leben, o Freude!
Wie lachet die Heide,
Der Anger und Hag;
Wie schwellen die Lüfte
Die blumigen Düfte,
Welch lieblicher Tag!

O seht auf den Wiesen
Die Blümchen aufsprießen,
Süß rieselt der Quell;
Wie blühen die Zweige,
Wie schlägt im Gesträuche
Der Finke so hell!

Wie sumsen im Grünen
Um Thymian Bienen,
Wie schwätzet der Rab':

Wie blöcket die Heerde,
Auf thauiger Erde
Den Hügel herab!

Wie klatscht durch die Laube
Die lachende Taube,
Horcht, wie sie nun girrt!
Wie singen die Wälder,
Wie jauchzen die Felder,
Wie pfeifet der Hirt!

Wie flattern die Weste
Durch plaudernde Aeste,
Durch's Thal und die Flur;
Es taumelt vor Freude
Und Seligkeit heute
Die ganze Natur.

So liebliches Wetter
Erwählte der Götter
Erhabenster sich,
Wenn er in dem Hayne
Der Sterblichen eine
Als Jüngling beschlich.

## An den Frühling.

---

Du schwebest vom Hügel
Mit thauigem Flügel,
Mit blumigem Kleid,
O Frühling, hernieder,
Und weckest uns Lieder,
Und weckest die Freud'!
Und führest gelinde
Umschmeichelnde Winde
Zum schilfigen Bord,
Und fesselst geschwinde
Den schnaubenden Nord.

Du kleidest die Heiden
Und nackigten Weiden,
Du schwängerst die Luft
Mit Balsamgerüchen
Und lieblichem Duft.
Du giebest den Quellen
Belebende Wellen
Mit lächelndem Blick,
Dem schmeichelnden Bache
Die freundliche Sprache
Und Stimme zurück.

Dich grüßet der Himmel,
Dich grüßet die Welt,
Im frohen Getümmel,
Thal, Wiesen und Feld.
Dich grüßet durch Lieder
Das bunte Gefieder,
Das Büsche durchzieht;
Dich grüßen die Hirten,
Bey schattigen Myrthen,
Dich grüßet mein Lied.

Mit blendenden Füßen
Entschlüpfen den Flüssen,
Nun Paar an Paar;
Die frohen Najaden
Sie ruhn an Gestaden
Und trocknen ihr Haar:
Sie eilen, Violen
Und Rosen zu holen
Vom schattigen Hayn,
Und grüßen sich singend
Und küssen sich schlingend
In lächelnde Reihn.

Mit fröhlichem Spotte
Steigt aus der Grotte
Der Satyr hervor:
Treibt Lämmer und Geisen,

Und locket den weißen
Wildbrüllenden Stier.
Nun trinkt er und singet,
Und grüßt dich und springet
Mit fröhlichem Muth;
Und wirfet sich nieder,
Und wälzet die Glieder
In sonniger Gluth.

Auch Amor, der Kleine,
Durchtanzet die Hayne,
Den Satyr sieht er;
Er winkt die Najaden
Und blaue Dryaden
Vom Frühlingsfest her.
Da eilen von Tänzen
Die Nymphen hervor,
Und schmücken mit Kränzen
Des schlummernden Ohr.

# Jägerlied.

Auf, rüstige Knaben,
Eh' Lucifer sinkt!
Auroren nun haben
Die Stunden gewinkt!
Schon blasen bey Netzen
Die Jäger im Wald
Zum Treiben und Hetzen,
Das Echo erschallt!

Nach sausen die Lanzen
Dem Wilde durch's Thal!
Am Abend da tanzen
Wir lustig um's Mahl.
Selbst Amor, der Kleine,
Jauchzt mit in's Geschrey
Und treibet uns feine
Brünetten herbey.

Tallara! Taltara!
Das Jagdhorn erschallt!
Taltara! Tallara!
Der Doggen Laut hallt!

Auf Rossen wir eilen
Gleich Stürmen dahin,
Bepflanzen mit Pfeilen
Den Eber im Fitehu!

Tallara! Taltara!
Vom schäumenden Quell,
Taltara! Tallara!
Stürzt muthig Gebell!
Gebt, Jäger, die Spornen!
Auf, Hunde, hieher!
Schon wälzt sich durch Dornen
Der zornige Bär!

Diana hält innen
Die Drachen und blickt
Von wolkigen Zinnen,
In Jagdlust entzückt;
Und läßt nun am Himmel
Den Mondlauf verkürzt,
Und spornet den Schimmel,
Als Jüngling geschürzt.

Wie lechzen die muthigen
Doggen! Wie eilt's
Dort über die blutigen
Klippen! Wie heult's!

Ha! Cynthiens mächtiger
Ruf in den Klang!
Dem Bären ein prächtiger
Sterbegesang!

Tallara! Taltara!
Juch, lieblich Getön!
Taltara! Tallara!
Von blühenden Höhn!
Ey, seht doch, wie bieder
Jagt Amor, der Mann!
Ihm treiben die Brüder
Die Mädchen voran!

Schnell gibt er ein Küßchen
Der Jüngsten, hihi!
Entblößet ihr Füßchen
Und wächsernes Knie.
Sie hören ihn lachen,
Und schreyen: ey, ey!
Und lachen und jagen
Geschwinder vorbey!

Auf, munter, ihr Schützen,
Zum sprudelnden Quell!
Wir schmücken die Mützen
Mit Eichenlaub hell!

Vorbey ist das Jagen!
Dort reiten sie her,
Und führen auf Wagen
Den Eber und Bär!

Auf Rasen nun nieder!
Herr Bacchus schenkt ein,
Und salbet die Glieder
Mit rheinischem Wein!
Laßt Hörner ertönen
Dianen allein!
Ertönen der Schönen
Die Gläser voll Wein!

Schon tanzen, ihr Brüder,
Dort Mädchen in Reihn;
Sie locken durch Lieder
Uns, kühner zu seyn.
Sie lachen und scherzen,
Um Amorn, das Kind,
Und küssen und herzen
Den Flatterer blind.

Die Lanzen bey Seite,
Ihr Jäger, und springt
Und fröhnet der Freude,
Bis Hesper euch winkt.!

Dann schlummert auf Rosen
Und Lilien ein,
Und träumet von Rosen,
Von Küssen und Wein!

## Freudenlied.

Auf ihr muntern Brüder,
Jubelt mit mir Lieder,
Nimmer kommt uns wieder
Frohe Jugendzeit,
Sey den leichten Scherzen,
Sey dem Gott der Herzen
Dieser Tag geweiht.

Laßt an hellen Tagen
Alte Narren klagen,
Sich mit Grillen plagen,
Ist dem Blöden süß;
Weise scheuchen Sorgen,
Sorgen für den Morgen,
Heute bleibt gewiß.

Silberharfen klingen,
Holde Mädchen singen,
Brüder, laßt uns springen,

Springen goldnen Wein!
Wo sich Scherze wiegen,
Blonde Locken fliegen,
Kann man lustig seyn.

Tanzet um die Fässer,
Freunde lachet besser,
Stoßt ihr an die Gläser,
Voller, froher Klang!
Klingt so schön und helle
Des Cocytus Welle,
Oder Grabgesang?

Freyer Mädchen Nicken,
Runde Busen schmücken,
Weiche Hände drücken,
O wie süß, wie süß!
Unter frohen Chören
Volle Becher leeren,
O wie süß, wie süß!

Jünglinge! Die Losen
Werfen uns mit Rosen,
Daß wir ihre bloßen
Weißen Arme sehn.
Löset mit mir Bänder!
Streift die Brustgewänder!
Nackend sind sie schön!

Spiegle mir, du kleine
Blonde, hier im Weine
Deine weiße, reine
Marmorbrust geschwind!
Ha! Du schwebst im Weine,
Wie im Strahlenhayne
Ein vergöttert Kind.

Küßchen hör' ich tauschen,
Pfeil' an Pfeilen rauschen,
Amorn seh' ich lauschen,
Fröhlich hüpft er her.
Neben seiner Seite
Schwingt die lose Freude
Ihren grünen Speer.

Hinter Lilienbrüsten
Wollen sie schon nisten,
Schlauer sich zu rüsten,
Venus tanzt herab;
Ihren Sohn zu strafen,
Der zu lang geschlafen,
Bricht sie Rosen ab.

# Musarion.

Blühn doch Blumen jetzt im Lenze,
 Herz und Sinne zu erfreun:
Daß die Locke höher glänze,
 Schling' ich sie mit Rosen ein.
Darum streuet Flora Kränze,
 Sie den Grazien zu weih'n.

Alles trägt der Freude Siegel
 Vor mir, Götter! Nein, ich tauscht'
Nicht für Kronen diesen Hügel,
 Wo, von Thorheit unbelauscht,
Heiter wie ein Silberspiegel
 Jene klare Quelle rauscht.

Frey von Neid, von falschem Heucheln
 Dehn' ich mich hier aus, im Nu
Führt der Welle lieblich Schmeicheln
 Meinem Aug' den Schlummer zu,
Und die lauen Weste streicheln
 Linder mich bey süßer Ruh'.

In der Grazien Geleite
An der Muse goldnen Hand,
Amor auf der andern Seite,
Wall ich freudig über Land.
Dann, Natur, schenkst du mir Freude,
Alles ausser dem ist Tand.

Jenes Hüttchen, jene kleine
Heerde, jener grüne Hayn
Ist mein Reichthum und ich meyne,
Ueberschwänglich reich zu seyn,
Bin ich, Amor, nur die Deine,
Grazien, seyd ihr nur mein.

Musen, die ihr auf den Triften
Tempel baut den Göttern all',
Stimme weckt der rauhen Klüften
Todten Felsen Widerhall,
Lehrt Gesang die Lerch' in Lüften
Rührt im Busch die Nachtigall:

Bleibt, o bleibt mir, theure Gäste,
Freundlich immer, immer hold!
Mehr als zaubrische Palläste,
Reich geschmückt von Stein und Gold,
Gilt dies Hüttchen, wenn ihr, Beste,
Mit mir drinnen wohnen wollt.

# Die Erle und die Ceder.

---

Aus dem fetten Wiesengrunde
Nah am Schmerlenbache wuchsen
Ueppig junge Erlen; locker
Grünten sie empor und Schosse wuchsen
Schon im ersten Jahr zu schlanken
Bäumchen auf. Am nahen Hügel
Keimten junger Cedern Sprossen
Langsam aufwärts; Jahre flogen
Hin, noch kaum erschienen höher
Sie, denn vormahls. Höhnisch riefen
Laut die Erlen: ey ihr Trägen!
Schämt euch! Nach so vielen Jahren
Noch so schwach ihr! Schauet unsern
Reichthum! Wie wir herrlich grünen,
Starkgefüllte, volle Bäume!
Voll von Zweigen, dicht von Laube!
Drauf erwiederten die Cedern:
Haben wir bisher doch immer
In den festen Grund gepflüget,
Mit der Wurzel zwischen Felsen
Sichern Stand uns zu erwerben.

Zehnmahl weiter als die Wipfel
Ihr erhebet in die Lüfte,
Dringen wir erst in die Tiefe;
Alles nach dem Wink der weise
Theilenden Natur, die euch zum
Schnellern Uebergang berufen,
Uns zum dauerhaftern Schwunge.
Lange werdet ihr verweset
Seyn, von euern Kindes-Kindern
Wird kein später Enkel grünen,
Wenn wir voller Schönheit blühend
Mit dem Haupt die Sterne küssen,
Und gleich grünen Pfeilern unsre
Aeste an die Wolken lehnen,
Und gleich Adlern mit der starken
Wurzelkrall' die Erde tragen.

# Orpheus-Klopstock.

Einst rückt' nach hohem Fluge
Calliopeja selber
Des Sohnes Leyer wieder
Herunter von den Sternen,
Und trug auf Klopstocks Schoos sie,
Damit die Langverwaiste,
Sich tröstend im Gesange,
Von Neuem einmahl schalle.

Des großen Barden Finger
Durchliefen leicht die Saiten.
Wie Sturm im regen Hayne,
Wie leiser Wellenlispel,
Bald hoch, bald niedrig rauschten
Im vollen Flug der Töne,
Und Harmonien quollen
Auf Harmonien mächtig.

Gleich Sonnenadlern schwangen
Sich hehr empor die Oden,
Du heil'ge Frühlingsfeyer,

Du Zürcher See, die Welten,
Und gleich Apollos Schwänen,
Auf Silberteichen kreisend
In feyerlicher Stille,
Und wie die sanfte Klage
Der Nachtigall aus Büschen,
Bey Lunas mattem Schimmer
Durch Blumenthau herschwebend,
Ihr wehmuthsvollen Lieder,
Du Bardale, der Jüngling,
Die Sommernacht und Selmar
Mit Selma, und die frühen
Vom Moos umwallten Gräber.

Thal, Wald und Anger staunten
Dem neuen Klang.; die Ströme
Verweilten, horchend hingen
Die Felsen her zum Liede,
Es strebten auf die Quellen,
Und trunkne Sterne sanken
Durch Nacht der Erde näher,
Gezogen von dem mächt'gen,
Erhabnen Klang der Saiten.

Da seufzt Calliopeja,
Die Mutter, hingelehnet
Am Felsen, horchend lange.
Vor Wonn' und Schmerzen rinnen

Ihr heißer nun die Zähren;
Gewaltsam fortgezogen,
Eilt sie mit offnen Armen
Daher, umfaßt den Dichter,
Und drückt ihn an den Busen:
Du bist's! Ach mir willkommen!
O sage, welch' Eurydice
Erlöste dich, mein Orpheus!

## An die Liebesgötter.

In diesem Regenwetter,
Was schwärmt ihr um den Hayn,
Ihr liebsten kleinen Götter?
Kommt doch zu mir herein!

Horcht, wie die Stürme heulen
Durch jene Felsenkluft!
Die grauen Lerchen eilen
Gebadet aus der Luft.

Kommt hurtig doch geflogen,
Damit der Regen nicht
Erschlafft den festen Bogen,
Euch eure Pfeilchen bricht.

Kommt hängt zu meiner Leyer
Den goldnen Köcher hin,
Den Bogen auch! Zum Feuer
Setzt euch, um den Camin!

Und singt mit süßer Kehle
Mir meinen blonden Freund,
In dessen großer Seele
Sich Kunst und Geist vereint.

Soll ich ihn etwa nennen,
Der mir so wohl gefällt?
Den Kobel müßt ihr kennen!
Ihn kennt ja alle Welt.

In Cypris dunkeln Haynen
Steht er in hoher Ehr',
Die Grazien, ihr Kleinen,
Sind immer um ihn her.

O der hat hohe Gaben!
Er mahlt euch eine Flur,
'Nen Wasserfall, ihr Knaben,
So schön, wie die Natur!

Ihr hört die Weste wehen
Herab in's kühle Thal;
Ihr schwört die Sonn' zu sehen
Und fühlet ihren Strahl.

Auch ehret er die Weisen,
Und liebet Scherz und Wein,
Ihr müßt, ihr müßt ihn preisen,
Wenn ihr mir lieb wollt seyn.

Denn, goldgelockte Kleinen,
Sehr zärtlich lieb' ich ihn.
Ach, ach! Ich möchte weinen,
Daß ich nicht bey ihm bin!

O daß ich ihn nicht haben,
Gleich bey uns haben kann!
Wie wollten wir uns laben
Am freudenreichen Mann!

Dann solltet ihr hier winden
Von Rosen, Balsamin
Und Glockenhyacinthen
Den schönsten Kranz für ihn!

# Natur.

Wie eine liebe Mutter mit dem jungen
Geliebten Sohne lächelnd spielt;
Auf Blumen wälzt sie sich; umschlungen
Hält sie den Liebling froh; er wühlt
Sich über ihre Brust, voll süßen Wahns, als hielt'
Er schon mit Riesenkraft die Stärkere bezwungen;
Es freut die Mutter sich und fühlt
In ihres Sohnes Lust sich doppelt süß durchdrungen:

So stand vor dir einst, große Here,
Im sel'gen Anblick tief entzückt,
Die himmlisch lächelnde Cythere,
Da sie mit ihrem Zaubergürtel dich geschmückt,
Zum Wunderbild für Erd' und Meere,
Zur Schönsten, die Olympus je erblickt!
Sie hängt an dich das Wonnesiegel
All' ihrer Reize, allen Glanz,
Und sieht in deiner Schönheit, wie im Spiegel,
Nur eigner Schönheit Daseyn ganz.

Es reicht Natur, o Künstler, willig dir
All' ihren Zauber, ihre seltne Zier,
Gleich Waffen dar, sie selber zu besiegen.
Du ringst mit ihr; mit wonnevollen Zügen
Haucht sie im Kampf dir Muth und zahlt dafür
In deinem Jubel sich mit doppelten Vergnügen.

# Druckfehler.

Seite 320 Z. 6 v. unten statt weinen lies rinnen.
— 344 Z. 7 v. u. ist das Punkt auszulöschen.
— 350 Z. 4 v. oben st. Centauern l. Centauren.

Kleinerer Versehen gegen die Interpunction nicht zu gedenken.

# Nochmalige Bemerkung von Druckfehlern des zweyten Bandes.

---

S. 8 Z. 18 st. pilgten l. pilgerten
— 20 — 9 v. u. st. Tripelnden l. Trippelnden
— 42 — 2 v. u. st. blitzt l. blitz'
— 94 — 12 st. schrrnen l. schreyen
— 106 — 13 st. gewamnit l. gewammst
— 149 — 9 st. Liebe der Liebe l. Leben der Liebe
— 177 — 7 st. einen l. einem
— 278 — 1 v. u. st. Fleh' l. fleh'
— 310 — 12 st. Wege l. Woge
— 339 — 6 st. Geister l. Ginster
— 398 — 3 st. weise l. weiße.

Lightning Source UK Ltd.
Milton Keynes UK
UKHW010955190219
337528UK00012B/731/P